EL COLUMPIO

colección andanzas

Libros de Cristina Fernández Cubas
en Tusquets Editores

ANDANZAS

El año de Gracia
Mi hermana Elba seguido de
Los altillos de Brumal
El ángulo del horror
Con Agatha en Estambul

FABULA

El año de Gracia

CRISTINA FERNANDEZ CUBAS
EL COLUMPIO

1.ª edición: abril 1995

Diseño de la colección: Guillemot-Navares
Reservados todos los derechos de esta edición para
Tusquets Editores, S.A. - Iradier, 24, bajos - 08017 Barcelona
ISBN: 84-7223-857-1
Depósito legal: B. 5.939-1995
Fotocomposición: Foinsa - Passatge Gaiolà, 13-15 - 08013 Barcelona
Impreso sobre papel Offset-F Crudo de Leizarán, S.A. - Guipúzcoa
Libergraf, S.L. - Constitución, 19 - 08014 Barcelona
Impreso en España

A Carlos

Un día, mucho antes de que yo naciera, mi madre soñó conmigo. Ella era una niña aún, tendría unos diez, quizás once años. Estaba jugando en el jardín, junto a la casa en la que pasaba todos los veranos, e inexplicablemente —porque este detalle le parecía casi tan asombroso como lo que ocurrió después—, se quedó dormida. Entonces yo aparecí en su sueño.

«Tú eras alta, rubia. Mucho más alta y rubia de lo que eres ahora...» Estábamos las dos frente a frente, mirándonos con curiosidad. O quizá confundidas, perplejas... Nunca pudo, por más que se esforzara, relatar con exactitud en qué había consistido esa extraña visión; de qué habíamos hablado —si es que llegamos a hablar—, o si no hicimos otra cosa que observarnos en silencio. Tan sólo había algo de lo que estaba absolutamente segura. Aquella mujer que, burlándose del tiempo, se materializaba inesperadamente en el jardín, era yo, su hija. Lo supo enseguida. Antes, incluso, de comprender que estaba soñando. Pero tampoco esta idea le tranquilizó. Aquel sueño no se parecía a ningún otro. Era demasiado extravagante, demasiado absurdo. Y, aunque no fuera más que una niña, se sorprendió pensando: «Es impropio de una niña».

Era al final del verano y, cuando despertó, se dio cuenta de que había empezado a llover y estaba tiritando. Tuvo que guardar cama una semana, estornudando, tosiendo, con la fiebre alta. Pero, con el tiempo, el recuerdo de aquel sueño impreciso le parecía hermoso. Me lo contó una y otra vez, entornando los ojos, sonriendo, como si aún lo encontrara inexplicable, milagroso, absurdo, añadiendo a menudo: «Fíjate qué tontería...». Pero yo nunca la creí del todo. Porque enseguida volvía al estupor, a la impresión que le había causado aquel encuentro del que tan poco podía recordar, sólo la certeza de haberme reconocido de inmediato y la sensación de que era un secreto, algo que no debía compartir por nada ni con nadie. «Ni siquiera se lo conté a ellos, a tus tíos...» Y era eso precisamente lo que me hacía sospechar. Porque, a lo largo de los inviernos en París, o durante los veranos en la playa, siempre aprovechaba la ocasión para, habláramos de lo que habláramos, regresar irremediablemente al mismo escenario, un valle perdido al otro lado de los Pirineos —un caserón, un jardín— y, sobre todo, ellos... Sus hermanos y su primo. Los tíos.

Todos los caminos conducían al mismo lugar, a los mismos personajes. Y, cuando no ocurría así, se aferraba al recurso de aquel sueño imposible, pretendiendo tal vez que, al implicarme, yo la escucharía con mayor entrega. Pero con esta infantil estratagema no conseguía más que el efecto contrario. Hasta que, con los años, me pareció comprender el auténtico sentido de aquella ingenua invención, de sus ojos entornados, de su sonrisa. Y, sintiéndome en deuda con su añoranza, tomé papel y pluma y escribí: *«Queridos tíos»*.

Había enviado la carta desde París hacía tres semanas y, aunque no había recibido respuesta, decidí aparecer, tal y como me había propuesto, en la fecha anunciada. Durante el trayecto —un expreso, un cercanías y finalmente el autocar que me conduciría hasta el valle— me entretuve fabulando sus rostros, adjudicándoles diversas profesiones, imaginando las palabras de bienvenida. Apenas si sabía nada de ellos, fuera de sus juegos infantiles en el valle, pero ésta, sin embargo, no era la primera vez que les escribía. Lo había hecho siete años atrás, presentándome como su sobrina y comunicándoles la muerte de mi madre. De aquella carta —cuya redacción corregí una y otra vez y que tampoco obtuvo respuesta— recordaba tan sólo un párrafo: «*Mamá me hablaba mucho de vosotros, de sus hermanos, Lucas y Tomás, del primo Bebo. Os recordaba y tenía*

pensado visitaros. Quería que nos conociéramos».
Todo eso era cierto, desde luego. Pero me había guardado muy bien de precisar que era yo quien, con una excusa u otra, demoraba siempre aquel momento. La ocasión de conocerles, abrazarles, o de alojarme en una vetusta Casa de la Torre que me empeñaba en situar fuera del tiempo, como aquellas fotografías antiguas, macilentas, en las que mamá jugaba al diábolo, y los tíos, vestidos con pantalones de golf, montaban en bicicleta, construían canales y túneles en el jardín, o columpiaban por turno a Eloísa, su querida Eloísa, mi madre.

Yo ignoraba, naturalmente, que mi madre iba a morir. De no haber sido así, hubiera sacrificado con gusto cualquiera de nuestros veraneos en el mar y me hubiera mostrado más amable, más cariñosa, más comprensiva. Mamá —después me lo repetiría a menudo— desapareció en el peor momento. Y, aunque ya nada podía hacer por remediarlo, a veces me sorprendía pensando que hubiera sido mucho mejor que muriera antes, cuando yo era sólo una niña pegada a sus faldas, o ahora, a mis veinticinco años. Pero no entonces. En aquellos momentos en que resulta casi imposible que una madre aún joven y una hija adolescente logren entenderse. Porque fue tal vez la soledad que yo le ofrecía lo que la volcó en el recuerdo de su infancia. Y escribió a sus hermanos, a su primo. Escribía de vez en cuando y tampoco, que yo sepa, obtenía respuesta. «Son cosas del campo», me dijo en una ocasión. «Escribes, dices que estás bien y ellos se dan por enterados.» Pero yo sospechaba que hubiera preferido una contestación, cuatro líneas, al menos una fotografía. «Son así», añadía sonriendo. «Tres solterones tozudos como ellos solos. Pero ya verás, en cuanto bajemos del autocar, se volverán locos de alegría.» Y yo la dejaba hablar, sabiendo que a pesar de sus esfuerzos no lograría convencerme, como cada verano, como siempre. ¿Por qué no iba ella a visitarlos si tantas ganas tenía? Y también, como siempre, como cada verano, mamá fruncía el ceño. No podía dejarme sola. ¿Cómo iba a dejarme sola a mis trece, a mis quince, a mis diecisiete años? Unicamente tiempo después comprendería que aquellos deseos de protección que tanto me habían irritado eran sólo una verdad a medias, y que mi madre necesitaba de todo mi apoyo para atreverse a desandar camino y regresar al valle. «Además», decía, «se deben morir de ganas de conocerte. A ti, a la francesita.»

Mamá no podía regresar con las manos vacías, y yo, «la francesita», me había convertido, desde hacía mucho, en la única justificación válida de su ausencia, de su deserción, de todos aquellos años en los que el valle, un punto minúsculo en el mapa que ahora sostenía entre las manos, no se había borrado nunca de su memoria. Pero de ésta, como de tantas otras cosas, me daba cuenta tarde, demasiado tarde. O tal vez, como ya he dicho, fue ella quien se fue de esta vida muy pronto. Y ahora era yo quien necesitaba conocer a los tíos. A sus hermanos, Lucas y Tomás. A su primo Bebo. Llevaba las fotografías en el bolso, aquellas instantáneas amarillas a las que casi nunca había prestado atención, pero ahora, cuando las sacaba y miraba una a una, parecía como si mi madre estuviera aún allí, a mi lado, señalando con el dedo, relatando anécdotas, hablándome con su voz soñadora, feliz, un tanto aniñada: «Bebo y yo queríamos casarnos de mayores. El primo me decía que era muy sencillo; bastaba con pedir permiso al Papa. Pero mis hermanos se molestaban muchísimo. Antes de hablar con el Papa se les tenía que pedir consentimiento a ellos. Entonces yo me columpiaba con rabia, como si estuviera enfadada, y decía que era inútil, porque, si seguían así, discutiendo tontamente, cruzaría los Pirineos, me casaría con un francés y no volverían a verme».

Y ahora, mientras recordaba su sonrisa, yo pensaba que mamá, desde el columpio, con el traje blanco de organdí por el que asomaban unas enaguas almidonadas, había entrevisto su destino. Y de nuevo me sentía culpable. No por haber nacido, por ser la hija de «un francés», sino por haber hecho posible, con mi incomprensión, el cumplimiento de su profecía. No volverían a verse. Pero ella nunca lo supo. Mi madre, claro está, ignoraba también que iba a morirse.

El autocar acababa de detenerse en un cruce de carreteras. Leí: FONDA. HABITACIONES. COLMADO. El conductor me hizo una seña. Había llegado a mi destino. El también se apeó y abrió el portaequipajes. Yo dejé que me precediera. Entró en la fonda como quien entra en su casa, con la saca de la correspondencia en la mano, saludando por su nombre a una anciana ciega que se daba aire con una revista, reclamando a gritos a una tal Lucila, haciendo caso omiso de los ronquidos de un hombre que dormitaba en una habitación contigua y del que sólo alcancé a ver, en la penumbra, las oscilaciones de una tripa voluminosa. Ahora el conductor y Lucila charlaban animadamente frente a una cerveza. Miré el reloj. El autocar había llegado a la hora. Sólo que nadie había acudido a recibirme. Compré un periódico y una postal en la que se veía un luminoso: FONDA. HABITACIONES. COLMADO.

—La Casa de la Torre —dije a la mujer cuando el autocar había desaparecido ya de nuestra vista—. ¿Podría llamar desde aquí? ¿Sabe usted el número?

La mujer me miró de arriba abajo.

—Los de la Torre nunca han tenido teléfono.

Pedí un refresco. La mujer seguía observándome con curiosidad. Por un momento pensé que era mi acento lo que le había sorprendido.

—Son mis tíos —expliqué.

Ella se limitó a indicarme el camino. Primero una aldea, cuatro casuchas viejas en las que apenas quedaba un par de almas. Luego la urbanización. Limpia, bonita, dijo. Muy moderna. Y después, a menos de un kilómetro, la casa. Era muy fácil dar con ella. Ense-

18

guida divisaría el torreón. Y de paso —ahora me miraba con cierta familiaridad—, ya que iba para allí, podía hacerle un favor y entregar una carta. Se encaramó a una escalerilla y me tendió un sobre. Al instante reconocí mi letra.

—Pero ¿cuándo llegó? —pregunté atónita—. Hace por lo menos tres semanas que la envié.

La mujer se encogió de hombros. Deduje que no siempre se ocupaba ella del correo, pero no me molesté en averiguar nada más. De pronto todo me parecía absurdo. Yo dirigiéndome hacia la Casa de la Torre con un maletín y una carta en la que se informaba de que una de aquellas tardes yo llamaría a la puerta de la Casa de la Torre. Así y todo me puse en camino. Alcancé el pueblo, las cuatro casas viejas, enfilé por la carretera de la urbanización y llegué hasta una plaza aséptica, fría, desierta. Todas las urbanizaciones son iguales, pensé. Espantosamente iguales. Y siempre alguien dice de ellas «muy limpio, muy bonito, muy moderno». Leí: SUPERMERCADO, MODAS PARIS... Me senté junto a una fuente y encendí un cigarrillo. Tal vez hubiera debido quedarme en la fonda, hacerles llegar la carta junto con una nota y esperar. Pero enseguida imaginé un cuarto angosto, recordé el rostro de la anciana ciega abanicándose con una revista, los ronquidos del hombre, me pregunté por medio de quién podría haberles anunciado mi llegada y resolví que estaba haciendo lo que debía hacer. Me mojé la cara en la fuente.

En aquel momento oí el timbre de una bicicleta. Alguien estaba dando vueltas a la plaza haciéndolo sonar con insistencia. Supuse que era un crío, pero al volverme sólo vi a un hombretón de edad indefinida. Tenía una cabeza grande, sudorosa, hacía como que no me había visto y decía, cantaba quizá, «bien, bien, bien, bien...». Ahora se había puesto de pie sobre el sillín; después volvía a sentarse y conducía sin manos; de pronto la bicicleta empezó a dar saltos. «Bien, bien, bien...» No quise pensar en nada. El comité de recepción se estaba revelando más que curioso. Esperé a que el hombre desapareciera por la carretera y miré de nuevo el reloj. Era la hora de la siesta. ¿Se podía llamar a una puerta extraña a la hora de la siesta?

Divisé la torre, a lo lejos, al poco de abandonar la plaza. Una casa grande rematada por un torreón. Allí, en el último ventanuco, debía de hallarse el desván, el cuarto de los juegos, el arcón de los tesoros. Imaginé a mi madre probándose sombreros, disfrazándose, interpretando los papeles que Bebo, en las tardes de septiembre, escribía para los cuatro. Iban a ser actores, los mejores actores del mundo. Y de nuevo me arrepentí de no haber prestado mayor atención a sus recuerdos. Pero aún quedaban frases, retazos de monólogos que ahora cobraban vida y se hacían presentes a medida que avanzaba hacia la casa, cada vez más grande, o quizás era yo quien, intentando revivir otras infancias, iba haciéndome más y más pequeña. «Una vez yo era una princesa cristiana y ellos, tus tíos, unos terribles sarracenos que me tenían presa. Me habían encerrado en lo alto de la torre y querían hacerme renegar de mi fe. Por un momento llegué a asustarme de verdad. Pero entonces Bebo, sin avisar a mis hermanos, cambió el argumento de la obra. Les envió a guardar las puertas de la mazmorra, se quitó los ropajes de moro, se puso una cruz y, allí mismo, en el desván, cuando nadie nos veía, me dio un beso.»

Oí de nuevo los timbrazos de una bicicleta y al volverme divisé al hombretón de la cabeza grande avanzando en zigzag hacia donde me encontraba. Me detuve y dejé el maletín en el suelo. El frenó a escasos centímetros. Con brusquedad.

—Bien, bien, bien —dijo. Pero su rostro no me pareció tan despreocupado como hacía un rato. Ahora el sudor le resbalaba a borbotones por la frente—. En la fonda me han dicho que eres la hija de Eloísa.

Me alegró que alguien, aunque fuera él, pronunciara el nombre de mi madre. Quise resultar amable y señalé hacia el torreón.

—Voy a casa de mis tíos... ¿Les conoce?

Enseguida me sentí ridícula. Mi voz había sonado cándida, como la de una heroína de cuento infantil, y la pregunta era a todas luces innecesaria. Si aquel hombre recordaba aún a mi madre, cómo no iba a conocer a sus hermanos y a su primo.

—Dicen también —añadió por toda respuesta— que llevas una carta.

Le miré confundida. ¿Era un recadero, un criado, un empleado de correos o simplemente un chismoso?

—Sí —dije. Pero solamente estaba hablando para mí misma—. Una carta en la que comunico a mis tíos que llego hoy. Una carta que se ha entretenido por el camino.

Me colgué el maletín al hombro y avancé

unos pasos. El hombre me alcanzó en dos pedaladas.

—Pero si ya estás aquí, ¿para qué la necesitas? Anda, dame tu equipaje.

Dudé un instante. El hombre entonces sonrió:

—Soy Tomás. Tu tío Tomás.

Y enseguida ató el maletín junto al asiento y desapareció silbando hacia la casa.

Anduve despacio. Como si quisiera dar tiempo a que Tomás avisara a los otros de mi llegada, demorando en lo posible un encuentro que no se presentaba como había imaginado, intentando recordar alguna frase de mi madre que explicara el aspecto, la actitud, la rareza de su hermano. «Tomás, pobre, siempre fue algo simple. Un niño grande.» O bien: «Sufrió un accidente de muy joven. Espero que no le hayan quedado secuelas». O mejor: «Es un hombre especial. Le gusta bromear, confundir. Los que no le conocen le pueden tomar por tonto...». Y aquí una de sus risas, una de aquellas carcajadas con que solía rematar sus evocaciones y que yo me empeñaba en desoír, como si nada de lo que hiciera referencia a su pasado pudiera compararse con mi estúpido presente, con la mirada egoísta con la que contemplaba aquel presente. Y tal vez, si yo hubiera prestado mayor atención a sus palabras, ahora podría rescatar sin esfuerzo esa frase cualquiera, un dato tranquilizador, el comprensivo meneo de cabeza que encerrara a Tomás en una categoría diferente de la de su hermano, de la de su primo. Pero todo lo que me venía a la memoria era: «Los tíos. Tus tíos. Ya verás qué contentos se ponen»; su fascinación por desvanes, canteranos, cajones secretos; los juegos de infancia o aquella invención, la ingenua estratagema para implicarme en un mundo o un pasado que no me pertenecían: «Un día, fíjate qué tontería, soñé contigo».

Había llegado hasta la cancela del jardín y, al fondo, junto al portón de la casa, distinguí tres siluetas en un orden que se me antojó de recepción. El sol me daba de frente, pero supe al instante que, de aquellos hombres, el único que se había movido y acudía ahora a mi encuentro era Tomás. Lo adiviné, o tal vez escuché el «bien, bien, bien» que se me estaba haciendo ya familiar. Tomás volvió a saludarme e hizo las presentaciones: «Lucas, Bebo». Lucas arqueó una ceja e inclinó ceremoniosamente la cabeza. Era un hombre extraño, de ojeras negras y profundas. Tuve la sensación de que había algo en él pretendidamente postizo, falso. Tal vez usaba maquillaje. O peluquín. O demasiada agua de colonia. Con un deje de esperanza, miré a Bebo. El primo me sonrió con timidez. Estaba tan delgado que más parecía un espíritu. Le tendí la mano y él me la estrechó. Hice un esfuerzo para no retirarla enseguida. Era una mano fláccida, bañada en sudor. «Dios mío», pensé. «Estos son los tíos, mis tíos.» Pero sólo dije: «Estoy cansada. El viaje ha sido largo, muy largo».

No tuve que insistir. Curiosamente, no me dieron siquiera tiempo a excusarme, a exagerar la fatiga del viaje, a contarles los cambios de trenes o la espera interminable del sofocante autocar. Como si mi llegada no fuera tan imprevista como había temido, Tomás me condujo hasta una habitación del primer piso, se excusó por no haber tenido tiempo de prepararme la cama, me entregó toallas limpias, un juego de sábanas con olor a espliego, abrió el armario y me indicó la puerta del baño. «Cenamos en cuanto se pone el sol», dijo antes de despedirse. Me sorprendió la celeridad con la que habían resuelto mi instalación. El maletín reposaba sobre un somier, junto a un colchón enrollado, la ventana estaba abierta de par en par y el dormitorio limpio, escrupulosamente limpio y vacío de objetos personales, como si aguardara a un invitado que únicamente hubiera cometido la imprudencia de presentarse con unas horas de adelanto. La bañera descascarillada de patas de león se llenó pronto de un agua terrosa con fuerte olor a azufre. Abrí el sumidero y dejé que desapareciera describiendo círculos. El grifo del lavabo me ofreció un líquido semejante. Me mojé la cara. No quería pensar en nada, en casi nada. Ni en que resultaba mucho peor lavarse con aquel agua que no hacerlo, ni en que había actuado como una estúpida al presentarme tan a la ligera. Estaba allí, eso era todo. Y preguntarme por los motivos por los que estaba allí no iba a conducirme a nada. Demasiado tarde, me dije. Y estas palabras me devolvieron a otras muy semejantes pronunciadas con el pensamiento en los dos trenes, en el autocar, en los años que siguieron a la muerte de mi madre. Pero mientras tendía las sábanas, aspiraba el olor a espliego y me recostaba descalza sobre la cama, caí en la cuenta de que volvía a incurrir en un defecto antiguo que yo creía olvidado. El egoísmo. Mi eterno egoísmo, la incapacidad de meterme en la mente, los problemas, la vida de los otros. Y ahora sí, por primera vez desde que llegara a la casa, me sentí repentinamente tranquila. Porque, si la situación no me resultaba tan agradable como había ensoñado, ¿cómo debía de ser para ellos que ni siquiera sabían de mi llegada ni habían tenido ocasión de fabular nada? «Estamos en parecidas condiciones», murmuré. «Con una ligera ventaja a mi favor.» Y aun sabiendo que de nuevo era el egoísmo el que aparecía intentando combatir precisamente al egoísmo, me puse a reír e imaginé a los tíos, a esos «solterones tozudos como ellos solos», invadidos bruscamente en su intimidad, intentando reponerse de la sorpresa, preguntándose qué hacer conmigo, cómo atenderme, de qué hablarme... Ahora comprendía la facilidad con la que había logrado mi propósito. Me habían permitido desaparecer, refugiarme en el cuarto con sólo decir «estoy cansada», sin cumplidos inútiles, sin insistir en prolongar aquella absurda bienvenida, no tanto porque creyeran realmente en una fatiga que poco tenía que ver con el calor, las esperas o el viaje, sino más bien porque eran ellos los que necesitaban un descanso, una pausa, unas horas, en fin, para asumir el hecho de que yo, la hija de Eloísa, estaba allí. Y ellos, mis tíos, no tenían más remedio que atenderme.

Cuando el reloj marcó las ocho y media, me calcé, me refresqué la cara con colonia y bajé las escaleras carraspeando a propósito, apoyándome en el pasamanos y arrancando un chasquido suficiente para avisar de mi presencia. No me hubiera gustado sorprenderles por segunda vez, o quizá, lo que trataba de evitar por todos los medios era sorprenderme yo de nuevo ante su sorpresa. La casa estaba en penumbra, pero distinguí una puerta, coronada por un rosetón, y escuché un rumor apagado. A pesar de que estuviera entreabierta llamé con los nudillos.

—Adelante —dijo una voz que luego sabría pertenecía a Lucas—. ¿Has descansado bien, querida niña?

Al principio me costó distinguir sus rostros. Se hallaban en pie, de espaldas al ventanal que daba al jardín, pero ya no formaban aquel orden rígido de recepción con el que me habían obsequiado pocas horas antes en el portal de la casa. Parecían más relajados, sueltos. Los tres sostenían una copa en la mano, y Tomás, dejando rápidamente la suya sobre un velador, se apresuró a ofrecerme una más chiquita, ya servida, que enseguida me llevé a los labios. Era un oporto rancio, terriblemente rancio, que ellos, sin embargo, parecían saborear con verdadero deleite. «Antes de cenar», dijo Lucas ceremoniosamente, «solemos tomar una copita. ¿No te hará daño, verdad?» Me trataban como a una niña, pero no puedo afirmar que aquello me disgustara. Miré complacida a mi alrededor. El comedor era espacioso y la bóveda del techo hacía que nuestras voces sonaran algo metálicas, como acompañadas de un pequeño eco. En el centro una mesa ovalada aparecía cubierta hasta la mitad con un mantel blanco, inmaculado. Recordé el aroma a espliego de las sábanas, el perfecto estado del dormitorio que me habían asignado, y decidí que los tíos no vivían tan aislados como había sospechado y contaban con servicio, por lo menos con alguna mujer del pueblo que ayudara en las faenas de la casa. Nos hallábamos aún de pie, junto al ventanal, en el ángulo que hacía las veces de salón y, a la última luz del día, sus rostros me parecieron mucho más agradables.

—Tenéis una casa muy bonita —dije.

Y escuchando mi propia voz, el débil eco que había levantado mi voz, supe que lo que debía hacer a continuación, lo que se esperaba de una recién llegada unida a la casa aunque sólo fuera por recuerdos ajenos, era recorrer discretamente el comedor, admirarme de la belleza de los muebles o explicar lo mucho que mi madre me había hablado de ellos, de mis tíos, de la Casa de la Torre, de todo lo que ahora me era permitido presenciar. Con la copa en la mano rodeé la mesa y me detuve ante una consola. Alguien entonces prendió la luz.

—Sí. Es Eloísa —oí a mis espaldas.

Sobre la consola pendía un cuadro que en la penumbra había pasado por alto. Tampoco la débil luz de las arañas ayudaba ahora gran cosa, pero sí pude reconocer a mi madre de niña, a los nueve, a los diez, tal vez a los doce años, vestida con un traje vaporoso muy parecido al de las fotografías. Tenía una expresión entre angelical y enfurruñada, y estaba mal sentada, se diría que mal sentada a propósito, como si más que un cuadro aquello fuera una instantánea tomada sin su consentimiento, o como si el autor la hubiera querido precisamente así. Con un mohín de disgusto, de desafío. Una niña a la que acaban de romperle un juguete. Pero el juguete estaba ahí. En el suelo.

—Es un diábolo —dijo de pronto Bebo señalando la parte más oscura del lienzo—. Está desapareciendo por momentos. ¡Qué le vamos a hacer!

Era la primera vez que Bebo hablaba, que Bebo *se atrevía* a hablar. Me sorprendió el tono de su voz. Armonioso, dulce. Acababa de calarse unas gafas de montura metálica y explicaba —excusaba quizá— la mala calidad de las pinturas de otros tiempos. Uno de aquellos días tendría que retocarlo. Y no sólo el diábolo, sino la cuerda, esa cuerda que mi madre sostenía entre las manos. Pero le daba miedo. Hacía mucho que no cogía un pincel. Supe entonces que él era el autor del retrato pero no tuve siquiera tiempo de felicitarle.

—Eloísa sin su diábolo no es Eloísa —atajó Lucas.

Y enseguida, indicándome una silla:

—Querida niña, la cena está servida.

Me sentaron de espaldas a la consola, al retrato de mi madre, frente a Bebo y Tomás. Lucas —y así supuse que debía de ser siempre— presidía la mesa, con aires de jefe de familia y explicaciones de consumado cocinero. El mismo había preparado la comida. «Liebre del valle.» El mismo había desollado el animalejo por la mañana, con todo cuidado, como debe hacerse, comprobando, con alegría, que la piel de las orejas se rompía como si fuera papel, prueba evidente de que la pieza era tan joven como aseguraba un cazador furtivo que, el día anterior, se la había vendido a Tomás. Después, continuó explicando, había permanecido un buen rato suspenso, dudando entre las múltiples preparaciones posibles. O más que un buen rato, rectificó enseguida, una buena media hora. La liebre podía cocinarse de muchas formas. Como si fuera caza mayor; con chocolate, guisada, acompañada de una salsa; al enebro, con manzanas o coles; al vino tinto, troceada, en cazuela... Enumeró uno por uno los ingredientes necesarios para conseguir una buena liebre al chocolate. Insistió en la necesidad de mezclar la sangre del animal con un chorro de vinagre antes de que pasara a formar parte de la salsa elegida. Destacó la importancia del caldo si optábamos finalmente por las bayas de enebro o la col roja. Después, cerrando los ojos, como si la receta se le resistiera, recordó algo fundamental para el buen resultado de un adobo. No debía echarse sal o la carne llegaría tres días después a la mesa dura como un zapato. En cuanto a la liebre del valle —que ahora trinchaba con maestría—, la razón de su éxito estribaba sorprendentemente en su misma sencillez, en su estudiada naturalidad. No necesitaba ni chocolate, ni caldo, ni enebro, ni adobo, ni tampoco —y a la vista estaba— acudir al siempre peligroso troceo previo. Pensé que iba a contarnos por fin el secreto de aquel plato del que parecía sentirse tan orgulloso, pero como si, aunque sólo fuera por exclusión, nos hubiera brindado ya todos los ingredientes, empezó a hablar de ciervos, corzos, rebecos, jabalíes, osos y lobos. Del hombre y la caza. De la caza y el hombre. ¿Nos habíamos parado a pensar en los ímprobos esfuerzos que tenía que hacer el hombre primitivo simplemente para subsistir? Él sí. Por eso, de vez en cuando, se creía en la obligación de rendirle un pequeño homenaje, recordar sus trabajos, la lucha diaria por cobrar una pieza en aquel mundo inhóspito, lleno de peligros, poblado de alimañas, sin más cobijo que una gruta que en poco se diferenciaba de la guarida nocturna de los animales a los que de día daba caza. Un mundo, concluyó, en el que no se contaba siquiera con el placer de una buena mesa, ni se vislumbraba aún el arte maravilloso del buen conversar.

—Y ahora —dijo después de una pausa—, ¿por qué no nos hablas un poco de ti?

Se hizo un silencio. Bebo y Tomás me miraban con el mismo interés con el que habían atendido a las explicaciones de Lucas. Me pareció entender que el jefe de familia, con su larga disertación, no había pretendido otra cosa que romper el hielo. Y que ahora, una vez logrado su propósito, era yo quien debía tomar la palabra. No sabía por dónde empezar.

—Vivo en París —dije—. Pero paso un mes al año en Burdeos, en casa de mi padre.

—Ah —murmuró Tomás, como si hiciera un esfuerzo por recordar—, el francés...

—Bueno —añadí sonriendo—, mi padre no es francés, por lo menos no lo es de nacimiento. Aunque ya sé, por mamá, que lo llamabais así. Mi padre...

Enseguida me di cuenta de que había empezado mal, rematadamente mal. ¿Qué hacía

34

recordándoles a mi padre, al «francés» causante de la deserción de su hermana y prima? Creo que me puse roja ante mi torpeza. Afortunadamente, a la débil luz que proyectaban las lámparas, nadie daba muestras de haberse dado cuenta. Decidí proseguir. Acabar con el tema cuanto antes y hablar de otra cosa, de cualquier otra cosa. Ellos comían ahora con auténtico apetito.

—Cuando mamá murió hacía ya muchos años que se habían separado.

Los tíos sólo parecían pendientes de la liebre del valle.

—Creía que lo sabíais. Que os lo había contado por carta.

O tal vez, se me ocurrió de pronto, algunas de las cartas que mi madre escribía puntualmente habían seguido un destino tan incierto como la mía.

—Fue mamá la que tomó la decisión —añadí—. En el fondo, creo que siempre se arrepintió de haber abandonado el valle. Y por eso estoy aquí. Para conoceros.

Entonces, como un conferenciante que se queda sin habla, recordé con alivio que llevaba aún, desde la mañana, la carta arrugada en el bolsillo. La puse sobre la mesa, rasgué el sobre y me oí a mí misma leer con voz pausada todo lo que en aquel momento me hubiera sido difícil explicar. «*Queridos Lucas, Tomás y Bebo...*»

—Bien —dijo Lucas cuando finalicé la lectura.

—Bien, bien —repitió Tomás. Y en la bóveda resonó: «Bien, bien, bien...».

—Entonces —intervino Bebo tímidamente—, ¿te quedarás unos días con nosotros?

Las palabras de Bebo acababan de centrar la conversación donde yo pretendía. Sí, ése era precisamente mi propósito. Pasar unos días con ellos. Pero ya los tíos se habían hecho finalmente a la idea y, lo que era mejor, no parecía disgustarles. «Mañana», dijo en un momento Lucas, «haremos un alto en nuestras obligaciones para atenderte como mereces.» No se me pudo ocurrir en qué consistían sus obligaciones ni tampoco creí oportuno preguntar a qué se dedicaban. Bajo la luz mortecina del comedor empezaba a contemplar a aquellos tres hombres, apenas unos extraños hacía unas horas, como a mi familia, mi auténtica familia. Tomás, al término de la cena, trajo una botella de *champagne* recién sacada de la nevera que Lucas se encargó de descorchar en silencio, con gran ceremonia, como si aquélla fuera la primera botella de *champagne* del mundo o recordara de nuevo las penurias y privaciones del hombre prehistórico.

—Vamos a brindar —dijo—. Pero no lo olvidéis. Nadie debe pronunciar palabra una vez hayamos alzado la copa y dicho: «Por nosotros».

—Por nosotros —repetimos a coro.

Y entonces me di cuenta de algo en lo que no había reparado antes, en el momento de abrir el sobre que reposaba aún medio arrugado sobre la mesa, junto a la carta, muy cerca de mí. Aquel sobre había sido manipulado con anterioridad. Alguien lo había abierto y alguien lo había cerrado. Al pegamento original se había añadido una cola casera, grumosa, burda. Con una rapidez inaudita desfilaron por mi cabeza el rostro de la mujer de la estafeta-fonda, los ronquidos del marido, la anciana ciega, y yo misma, de niña, abriendo al vapor cartas prohibidas y cerrándolas luego con un engrudo improvisado a base de harina y agua. Todo fue muy rápido y nada dije, tal vez porque nada, como se me había advertido, podía interrumpir aquel silencio. Estábamos los cuatro con la copa alzada, no se oía una mosca y mis tíos, quietos como estatuas, me miraban transformados. Pero también ésta fue una sensación efímera. Porque pronto reparé en la verdadera dirección de sus ojos, en sus copas ligeramente más alzadas de lo que hubiera resultado normal. Y entonces comprendí. Sin necesidad de darme la vuelta comprendí que el brindis emocionado no me iba destinado a mí, sino a alguien que nos observaba a todos desde su posición inmóvil sobre la consola. Aquella criatura mal sentada, con un mohín de disgusto, una cuerda borrosa entre las manos y un diábolo desdibujado en el suelo. Habíamos dicho: «Por nosotros». Pero ellos, en aquel momento, sólo estaban pensando en Eloísa, mi madre.

Al día siguiente Lucas se ofreció a mostrarme la finca. Aunque el jardín estuviera cercado, sus posesiones llegaban hasta el otro lado del río, por donde salía el sol, y hasta la urbanización, por donde se ponía. Eran prácticamente los dueños del valle. Incluso la urbanización, a la que no solían acercarse con excepción de Tomás —porque el supermercado estaba más surtido que la tienducha de la estación y además a Tomás, de vez en cuando, le gustaba hablar con la gente—, les pertenecía. No entendí muy bien hasta qué punto les pertenecía, pero sí que ellos eran o habían sido los dueños de las tierras y que gracias a un contrato muy especial —«dejar que unos constructores perturbados edificasen para unos inquilinos más perturbados aún»— podían permitirse el lujo de vivir como siempre, como si nada hubiera ocurrido, como si el mundo pudiera detenerse con sólo que alguien —él, por ejemplo— olvidara la existencia del reloj y se negara a arrancar las hojas del calendario. «Somos rentistas», añadió por si albergara aún alguna duda. «Y el dinero, aunque asqueroso, sirve para mucho.» Porque el mundo era un gran teatro y el dinero, ese dios menor, pero dios al cabo, les permitía diseñar el escenario a su único, absoluto e indiscutible albedrío.

—Esta es, querida niña —concluyó—, la única verdad. No hay otra.

Yo me limitaba a sonreír, sin saber muy bien si en ese gran teatro se me había asignado un papel de comparsa, o si, simplemente, yo formaba parte de aquel mundo hecho de espectadores invisibles que ahora, a juzgar por la repentina quietud de Lucas, debían de jalear su actuación, en una ovación cerrada, emocionada, intensa. Lucas se había quedado en silencio, mirando hacia un punto indefinido. Llevaba gafas de sol y, aunque no podía observar las ojeras que el día anterior, a la luz de la tarde, me habían impresionado, tuve de nuevo la sensación de que usaba maquillaje. Observé la ceja que se arqueaba por encima de uno de los cristales, en un gesto estudiado de actor de otros tiempos, y me pareció demasiado fina, demasiado perfecta para que su dibujo obedeciera únicamente a los caprichos de la naturaleza. Tampoco el terno de pana, con cierto olor a guardado y dentro del que, en buena lógica, mi tío tenía que estar asfixiándose, debía de haber sido escogido al azar. Como las botas de media caña o el pañuelo que asomaba por el cuello de la camisa. Lucas se había vestido de «dueño del valle». Pensé en los arcones del desván, en ropajes antiguos, en vestidos de moros y cristianos...

—Vamos —dijo de pronto. Y yo entendí que la función había concluido.

Anduvimos sin prisas hasta el río. Bebo nos aguardaba sentado sobre una piedra, con los pies descalzos en el agua arenosa. Dibujaba o escribía algo en un cuadernillo, pero al vernos lo cerró de golpe, guardó el lápiz en un bolsillo y sonrió. Su aspecto, a la luz del día, volvió a recordarme el de un enfermo.

—Bebo es un gran artista, ¿sabes? —dijo Lucas. Y, como si deseara ceder todo protagonismo a su primo, señaló el cuaderno—. Veamos, ¿qué estabas inmortalizando ahora?

—Oh, nada, poca cosa —respondió tímidamente. Y a mí se me hizo agradable escuchar de nuevo su voz—. Estaba distribuyendo una especie de pozos por el jardín. Dentro de poco va a llover y hay que estudiar la forma de aprovechar el agua. —Y luego, dirigiéndose únicamente a mí y agitando los pies en el río—: Mira, en los últimos veranos está casi seco, pero antes no era así. Antes se podía nadar.

Cogí un poco de agua entre las manos. Era un líquido terroso, como el que me obsequiaban los grifos de la bañera y del lavabo. Pero hacía calor, y también esta vez me mojé la cara. El reparto de papeles entre los tíos empezaba a parecerme claro. Bebo, el artista, el inventor. En otros tiempos, decidí, debió de resultar atractivo. Incluso guapo. Lucas, posiblemente el peor actor del mundo sobre un escenario, pero un convincente gran señor del valle en sus dominios, además de un excelente cocinero. ¿Eran éstas sus ocupaciones? En cuanto a Tomás...

—Tomás nos espera —dijo Lucas, como si hubiera estado leyendo en mi pensamiento—. Nuestro gran intendente, ¿qué haríamos sin él?

Su bicicleta refulgía a lo lejos, junto a una arboleda. Cuando le alcanzamos, había dispuesto ya una manta sobre el suelo, en el lugar más umbrío, unas hogazas de pan, embutidos, quesos, un porrón de vino y dos botellas de gaseosa. *«Déjeuner sur l'herbe»,* anunció Lucas en un tono parecido al que antes había empleado para referirse al Gran Teatro del Mundo, a la vileza y utilidad del dinero o a su calidad de rentista. «Los tíos», pensé con ternura, «me están ofreciendo lo mejor de sí mismos.» Me sentía relajada, feliz. La excursión me había abierto el apetito, pero tuve que aguardar a que Lucas, al igual que el día anterior con la caza y el hombre primitivo, terminara hoy un largo discurso sobre las razones por las que el río estaba casi seco y lleno de gravilla. Una lamentable obra de ingeniería que había desviado gran parte del caudal hasta una presa. Y la chapucera colaboración de la naturaleza que se asociaba al desastre permitiendo un espectacular desprendimiento. Después almorzamos en silencio, como si nos conociéramos de toda la vida, tomando la palabra muy de vez en cuando, únicamente para alabar el punto de los quesos o la calidad de los embutidos. Tomás había pensado en todo. Incluso en el café. Quise mostrarme útil; me levanté, me acerqué hasta la bicicleta y saqué el termo de la cesta. Pero no llegué a abrirlo. Algo acababa de moverse entre los árboles, muy cerca de donde nos encontrábamos. Algo o alguien que se asomaba y se ocultaba enseguida. Hice un gesto a los tíos.

—No te asustes —dijo Bebo—, es sólo un columpio.

Colgaba de las ramas de uno de los árboles más frondosos y la brisa lo mecía a ratos, dulcemente. Sin pensarlo dos veces me senté. El columpio era pequeño y mis pies rozaban el suelo, pero así y todo me sujeté de las cuerdas e intenté balancearme. Tomás acababa de levantarse, y Lucas y Bebo se habían quedado embobados, mirándome. Y de pronto fue como si reviviera una de las fotografías de mi madre. Desde el otro lado. Porque allí estaban ellos, los hermanos y el primo, y yo, de pie sobre un columpio de madera, con un traje de organdí por el que asomaban unas enaguas almidonadas, jugaba a irritarlos, a enfadarlos, a hacer valer mi condición de reina absoluta. Y entonces no sé cómo ocurrió. Fue como si el sol me cegara de repente, el viento me balanceara con furia y del fondo de la arboleda surgiera una voz:

Me casaré con un francés
Con un francés me casaré
Y nunca, nunca, nunca
Nunca volveré...

Pero no era el tono de mi madre, la dulce entonación de mi madre rememorando su infancia. Sino el grito de una niña malcriada, caprichosa, tiránica... «Siempre serás un bruto», oí. Y, volviendo en mí, me di cuenta de que estaba de rodillas en el suelo, el café se había desparramado por la hierba y Lucas reprendía a Tomás por haberme empujado con demasiado ímpetu. «¡Imbécil!» Pero ninguno de ellos daba muestras de haber escuchado la voz. Ahora Lucas me ataba un pañuelo en la rodilla, Tomás bajaba la cabeza avergonzado, y Bebo, como si nada hubiera ocurrido, se aprestaba, con todo cuidado, a reparar el columpio.

No dije nada de aquella extraña emoción que me había llevado a confundir mis pensamientos con otras voces. Ni entonces ni luego, por la noche, cuando, tras el inevitable oporto, comuniqué a los tíos que me encontraba muy cansada y que prefería retirarme temprano. Tampoco esta vez tuve que insistir. El regreso a la casa había resultado trabajoso. Yo, montada de lado en la bicicleta con las piernas cruzadas, Tomás al frente, tirando del manillar, Lucas detrás sujetando el sillín, Bebo a mi espalda, teniéndome por la cintura. Debíamos de componer una curiosa figura, pero en aquellos momentos yo no hacía otra cosa que insistir en que no tenían por qué preocuparse. Una rozadura, nada más. Al día siguiente estaría como nueva. Lo hacía por Tomás. Porque, en el estricto reparto de funciones, Tomás, el intendente, Tomás, el simple, Tomás, el fornido hombretón que no controlaba su propia fuerza, tenía todas la cartas para cargar con las culpas. Ahora, en el comedor, los tres me miraban en silencio. Parecían confundidos, cansados. Antes de desaparecer insistí aún:

«No ha sido nada. Cenad tranquilos». Sin embargo, al empezar a subir las escaleras, me di cuenta de que la rodilla me dolía mucho más de lo que había previsto. Me detuve en el primer descansillo, sin hacer ruido, sospechando que a la primera señal de alarma acudirían los tres como un solo hombre, se empeñarían en subirme en brazos hasta el dormitorio y Lucas encontraría una renovada ocasión para volver a la carga. «Eres un bruto. Un imbécil.» Pero entonces, precisamente, me pareció que empezaban a discutir, y decidí que no tenía más remedio que regresar y aclarar de una vez por todas la situación. La culpa era sólo mía. ¿Cómo se me pudo ocurrir, a mi edad, montarme en un columpio de niña? Apenas llegué a bajar un par de peldaños. No discutían. El eco del comedor, el techo de bóveda que otorgaba una extraña resonancia a todo cuanto allí se decía, me había producido ese efecto. Hablaban, nada más. Tranquilamente.

—Mañana es martes.

—Al otro miércoles.

—Luego viene el jueves.

—Y después...

«El viernes», murmuré en voz baja, sonriendo. Pero había alcanzado ya de nuevo el descansillo y acababa de encontrar un truco para que la rodilla dejara de molestarme. Subía de lado. Afianzándome sobre la pierna sana y describiendo un medio círculo con la otra, con la pierna herida. «Mis tíos», pensaba. «Mis queridos y pobre tíos. A lo peor, cuando se encuentran solos, todas sus conversaciones se reducen a esto. Lunes, martes, miércoles...» Y de nuevo tuve la agradable sensación de que mi llegada, aunque inesperada, había operado el milagro de aliviarles de su rutina. Ya en el cuarto, me desvestí y me metí en la cama, pero no quise apagar la luz. La voz que me había parecido escuchar en el columpio seguía resonando en mis oídos. Todo había sido una ilusión, no me cabía la menor duda. Sin embargo, ¿qué oculto resentimiento debía de albergar yo contra mi madre para hacerle hablar de esa forma, en aquel tono terrible, aunque sólo fuera con el pensamiento? Aun así, el cansancio pudo más que mi inquietud. Al día siguiente me desperté fresca, recuperada, con sólo unos rasguños sin importancia en la rodilla y una deliciosa sensación de serenidad. En el valle, en aquel mundo de arcones de alcanfor, ríos de aguas arenosas y fotografías macilentas, estaba descansando como nunca en la vida.

No me había equivocado en lo concerniente al cuidado de la casa ni en las ocupaciones diarias de mis tíos. Dos mujeres de la aldea aparecían una vez cada quince días. Fregaban suelos, limpiaban cristales, abrían y oreaban habitaciones, y no se despedían hasta la caída de la noche. Se ocupaban de la ropa, del mantenimiento de cortinas y alfombras, sacaban brillo a la plata, bruñían el bronce y lustraban los pomos de latón. Las dos se llamaban Raquel.

La irrupción puntual de las raqueles era contemplada por los tíos como una invasión, una fatalidad ineludible de la que cada cual se defendía a su manera. Tomás aprovechaba para alargar sus paseos en bici por la urbanización, conversar con la gente y visitar a conocidos. Lucas y Bebo se hacían fuertes en sus dormitorios. En muy pocas ocasiones, a pesar de su empeño, las mujeres habían logrado la autorización para pasar el plumero o la escoba por sus santuarios. Por eso recordaban como un gran acontecimiento la última oportunidad. Lucas y Bebo apostados en la puerta, impacientándose, insistiendo al primer escobazo que ya valía, que estaba bien así, que no hacía falta que pasaran la bayeta ni que abrieran las ventanas. Apenas tuvieron tiempo de adecentar sus guaridas. «En esas condiciones no se puede trabajar», refunfuñó la Raquel de mayor edad. «Ahora que está usted aquí tendría que sacar a los señores de paseo.» Y enseguida la otra, la más joven: «Se empeñan en que limpiemos todo lo que no sirve para nada. Pero sus cuartos... Dios mío. La de porquerías que deben de guardar en sus cuartos...».

Nos encontrábamos en el mío y hacía ya rato que las mujeres habían acabado con el de Tomás a quien, por lo visto, no le molestaba que sus cosas fueran observadas por extraños. La puerta estaba abierta y me asomé. Era una habitación espaciosa, sin apenas mobiliario, con una gran salamandra al fondo, una cama de aspecto monacal y, muy cerca de la entrada, un escritorio en el que se apiñaban facturas, cartas y libros de cuentas. Me gustó que Tomás se hallara ausente y que Bebo y Lucas se hubieran refugiado en sus dormitorios.

—Ah, claro —dije en voz muy alta—. Ese balcón debe de dar a la parte de atrás.

No esperé confirmación alguna. Había encontrado la excusa para entrar en el cuarto sin parecer demasiado indiscreta. Cumpliendo con la formalidad que yo misma me había impuesto, miré a través de las persianas. El balcón, en efecto, daba a la parte de atrás, a un patio semicerrado que no ofrecía el menor interés y en el que se acumulaban trastos viejos, un par de neumáticos, hierros de todos los tamaños, los restos de una bicicleta oxidada. A mi derecha, sin embargo, en ángulo recto, aparecía la ventana de Lucas. La persiana tenía algunas tablillas sueltas y numerosas rendijas. Pegué un ojo a la que me quedaba más cerca. Lucas entraba y salía de mi punto de mira. Vestía un batín brillante, de color granate, y paseaba a grandes zancadas por una habitación en penumbra. Al principio me pareció que hablaba solo, que sostenía una acalorada discusión con interlocutores invisibles, pero no debía de tratarse de eso. Ahora, de espaldas, veía cómo cabeceaba, cómo alzaba y bajaba los hombros, cómo acoplaba su parlamento a las sacudidas enérgicas de su índice. Y al poco, cuando volvía a aparecer, esta vez de cara, comprobaba que movía los labios con afectada lentitud, a tono con las órdenes que impartía su dedo, y, de cuando en cuando, cerraba los ojos. A la altura de la sexta o séptima aparición ya no me cabía la menor duda. Lucas estaba ensayando, memorizando. Una obra difícil, un papel arduo que intentaba retener a sacudidas y que, por lo visto, se le resistía empecinadamente. Abandoné sonriendo el balcón, la pulcra habitación de Tomás, y me encontré de nuevo con las raqueles. Pero ya no me molesté en hablar de «la parte de atrás». Hubiera sido absurdo. Nadie permanecería durante tanto rato contemplando un patio umbrío o un desvencijado chasis de una vieja bicicleta.

Una de las mujeres blandía un manojo de llaves, abría y cerraba armarios y luchaba ahora con la cerradura de una puerta especialmente reticente. Aguardé a que la abriera y la seguí. Era una habitación pequeña y agradable. Observé el baldaquino de la cama, las cortinas, los muebles pintados en tonos claros. Pedí un paño y me ofrecí a sacar el polvo. La mujer se encogió de hombros y se puso a sacudir el colchón en la ventana. Le daba igual. Es más, no entendía por qué tanto esmero en cuidar de habitaciones en las que no vivía nadie. Con la gamuza en la mano acaricié una mesilla. No hacía falta que preguntara nada. Sabía perfectamente a quién habían pertenecido aquellos muebles, aquellas cortinas, quién había guardado sus vestidos en el armario ahora vacío o quién se los había probado ante el espejo. Abrí un canterano y extendí el escritorio. Encontré algo de polvo, nada más. Y de nuevo me acordé de las palabras de mi madre. «Casi todos los muebles tenían un cajón secreto. Los arcones, las consolas, los canteranos...»

No tardé más que unos segundos en dar con él. Con increíble facilidad acababa de reparar en una borla y, al tirar de ella, se había abierto una puertecilla de madera. El mecanismo era tan sencillo, tan al alcance de cualquiera, que la palabra «secreto» me pareció una ingenuidad, un despropósito. Sonreí ante la idealización de los recuerdos y metí la mano. El cajón estaba lleno de telarañas e, instintivamente, la retiré de inmediato. Pero yo había notado algo, palpado algo... Con ayuda de la gamuza me hice con un fajo de cartas atadas con un cordel. La mujer seguía en la ventana, sacudiendo el colchón, ajena a mis hallazgos. Salí del dormitorio con una extraña agitación en el pecho. La otra Raquel fregaba ahora el suelo de mi cuarto. Nadie había reparado en lo que acababa de hacer. Pregunté por la llave del desván.

52

—El desván no se limpia —respondió—. Además, está siempre abierto.

Subí unos cuantos escalones y abrí la puerta del torreón. De la habitación de Bebo, a mitad de camino entre donde me encontraba y el primer piso, surgía el sonido de una flauta. Subí con sigilo por la escalera de caracol, ocultando el fajo de cartas bajo la gamuza. La puerta del desván rechinó al abrirse. Era una pieza circular abarrotada de objetos y repleta de polvo, muy parecida a como la había imaginado. En otra ocasión me hubiera encantado curiosear, abrir arcones y baúles, contemplar uno por uno los numerosos lienzos que aparecían amontonados, con descuido, como si nadie desde años y años les hubiera prestado la menor atención, hojear libros, álbumes de fotos... Pero no aquella tarde. Cerré la puerta, sacudí el polvo de una banqueta con la gamuza y, sacando un pañuelo del bolsillo, hice lo mismo con los sobres en los que enseguida apareció una letra picuda que no tardé en reconocer. Eran cartas de mi madre. Las cartas que escribía a sus hermanos y primo, que jamás obtenían respuesta, y que ahora, por caminos inesperados, se encontraban felizmente en mi poder. Tuve la deliciosa sensación de que el destino se comportaba muy complaciente conmigo. Ahí tenía la oportunidad de pasar un rato en su compañía, de escucharla, de remediar, en lo posible, aquel egoísta desinterés con que acogía sus confidencias y del que había llegado a arrepentirme tantas veces. Estaba respirando con fuerza y, por un instante, temí estúpidamente que el torreón hiciera de caja de resonancia y, en cualquier momento, aparecieran por la puerta Bebo, Lucas, Tomás o una de las dos raqueles preocupándose por mi salud. Agucé el oído. El lejano sonido de la flauta de Bebo me tranquilizó. Abajo todo seguía igual.

Iba a leer ya, aprovechando la paz de mi refugio, cuando una nueva sorpresa arrinconó bruscamente todas mis expectativas. Ahora, de golpe, entendía el empecinado silencio de mis tíos. Pero no se trataba de «cosas del campo», aquella vaga razón con la que mamá intentaba justificar su conducta, sino de algo mucho más crudo y mucho más sencillo. ¿Cómo contestar unas cartas que ni siquiera habían sido leídas? Porque, aunque no supiera explicármelo, entre mis manos sólo había una evidencia. Unos sobres cerrados. Tan cerrados como los santuarios de Lucas o Bebo, o la alcoba con baldaquino en los días que no tocaba la inspección de las raqueles.

«Tus tíos, ya verás qué contentos se ponen...» Con un nudo en la garganta compadecí a mi madre, mi pobre madre, inocente como una niña, sin atreverse a sospechar el destino que seguían sus mensajes. La indiferencia, el desprecio. La oscuridad de un cajón secreto en el canterano de una habitación deshabitada. Como si no existieran. Como si jamás hubieran sido recibidos. Como si Eloísa, en fin, al abandonar el valle, hubiera arrastrado una condena para el resto de sus días.

No sé cuánto rato permanecí sentada en la banqueta, respirando el aire enrarecido del desván, sin importarme ya la posibilidad de ser descubierta, pasando de la tristeza a la indignación, del abatimiento a la rabia. Todo, de pronto, carecía de sentido. El expreso, el cercanías, el autocar. Mi llegada al valle. Las cenas a media luz... Pero las palabras de mi madre no iban a morir de soledad en las sombras de un cajón olvidado. Creyéndome asistida por todos los derechos del mundo rasgué uno de aquellos sobres. Lo hice con energía, casi con violencia. Allí estaba ella. Su letra picuda de estudiante aplicada. *«Queridos hermanos, querido primo...»* Explicaciones acerca de nuestra vida en París, de los veranos en el mar, promesas de una pronta visita... Y recuerdos. Como si todo lo anterior no fuera más que un preámbulo, un párrafo obligado para entrar de lleno en lo que le interesaba, mamá se entregaba a desgranar recuerdos. No les había olvidado. Nunca podría olvidarles. Pero ellos, ¿por qué no contestaban? ¿Cómo podían ser tan crueles? Y al final, su nombre, Eloísa, rubricado con unos trazos curiosos que recordaban un lazo, el movimiento de una cinta rematada en los extremos por dos bastas, dos palotes. Una firma de niña que mamá, como si nunca hubiera salido del valle, reservaba para los seres más queridos. ¿O era una contraseña, un guiño? «Eloísa sin su diábolo no es Eloísa...» Y ahora mi madre encerraba su nombre entre los movimientos de la cuerda ondulante como si quisiera dar a entender: «Nada ha cambiado. Para vosotros ni siquiera he crecido. Sigo siendo la de siempre. Eloísa. Vuestra Eloísa».

Con la carta en la mano me encaramé a una aspillera. Contemplé el río seco, la arboleda, la urbanización y, a lo lejos, la aldea y un punto minúsculo que no podía ser otra cosa que la fonda-parada de autocar desde la que, apenas dos días antes, había emprendido el camino hacia la casa de los tíos. También entonces yo llevaba una carta en la mano. Una carta cerrada que luego guardé en el bolsillo, mientras, sofocada por el calor y el cansancio, avanzaba observando la progresiva cercanía de un torreón que, acudiendo a recuerdos ajenos, me empeñaba en poblar de princesas, sarracenos y cristianos. Pero ahora, aquí, en lo alto, sólo estaba yo. Tan acalorada como hacía dos días, encaramada a la aspillera, viéndome a mí misma avanzar por el sendero polvoriento, mirando hacia el torreón, tomándome un respiro, dejando el maletín en el suelo, alzando de nuevo la vista e introduciéndome en las sombras del desván. Hubiera deseado lo imposible. Gritar desde arriba: «¡Vete! Aún estás a tiempo», y que aquella que fui yo, hacía dos días, acatando la orden, sudando, con todo el calor del verano cayéndole a plomo sobre la cabeza, se agachara, recogiera el maletín y desandara camino. Pero la fuerza del deseo no bastaba para detener el reloj, mover las manecillas a mi antojo y engañar al tiempo. Nadie avanzaba por el sendero y, si alguien lo hizo un día, ahora estaba allí, en lo alto, contemplando el río, la arboleda, maldiciéndose por haber emprendido aquel viaje sin sentido. Aunque, ¿no sería eso lo que mi madre había entrevisto en sueños? ¿La imagen de una hija, que aún no existía, abatida, triste, perdida en la penumbra de un desván?

Estaba sudando. Bajé de la banqueta, fui hasta la puerta y la abrí de par en par, apuntalándola con un pesado pie que en otros tiempos debió de servir de soporte a una mesa, a una lámpara. Enseguida se estableció una agradable corriente. No debía dejarme llevar por la imaginación. Refugiarme en absurdas tretas de la fantasía o, peor aún, creerme por un momento personaje de un sueño al que nunca hasta entonces había dado crédito. Regresé a la banqueta, recogí el cordel del suelo y, con la intención de proseguir la lectura, me hice de nuevo con el fajo de cartas. Pero también esta vez una idea perturbadora me cruzó por la mente.

De pronto había recordado el sobre. El primero de aquella larga cadena de sobres. El sobre a nombre de mis tíos que yo misma envié desde París y que, sorprendentemente, me aguardaba impasible en la estación-fonda. Y enseguida la primera cena. Aquel «por nosotros», el brindis que no me atreví a interrumpir, ni siquiera ante la evidencia de que mi llegada, desconocida para mis tíos, no era del todo inesperada para algunos vecinos del valle. Instintivamente volví a la carta que acababa de leer. La había rasgado por el borde, de cualquier manera. Pero ahora, si me molestaba en abrirla por donde había sido cerrada, volvía a encontrar los mismos grumos, la huella de una cola demasiado espesa para que no me quedara ya la menor duda de que también aquel sobre había sido pegado por segunda vez. «Lucila», murmuré. Y reviví a la mujer tras el mostrador repleto de moscas, atendiendo al conductor del autocar, mirándome de reojo, sabiendo quién era yo, a qué venía. Porque para aquella mujer de apariencia linfática éste era con toda seguridad su único entretenimiento. Leer, curiosear, recomponer sobres. Pero en verano, con la correspondencia de la urbanización, la tarea le había desbordado, se había demorado más de la cuenta en devolver la carta a su casilla y yo me convertía, inopinadamente, en portadora de mi propio mensaje. Sí, parecía plausible. Pero ¿y las otras? El que

59

las palabras de mi madre hubieran sido interceptadas por la mujer más fisgona del valle no cambiaba en nada la actitud de mis tíos.

Estaba hecha un lío. Abrí, esta vez con todo cuidado, una segunda carta. Como en la primera, mamá relataba su vida en París, nuestros veranos en el mar, añadía el dato de su reciente separación, insistía en la inminencia de una visita. Y recordaba. De nuevo recordaba, se lamentaba del silencio con que eran acogidas sus noticias, buscaba al tiempo excusas imposibles y firmaba: «Eloísa». Una letra de niña envuelta en las oscilaciones de una cuerda de diábolo.

Me sentía de mal en peor. Miré por encima los otros sobres que ya no me iba a molestar en abrir y, sin demasiada sorpresa, me detuve en el último. Era mi letra. La misma letra con la que años atrás había comunicado la muerte de mi madre, la carta que me costó tanto esfuerzo escribir, que tampoco obtuvo respuesta y que aparecía ahora allí, en el mismo lote, el apartado «Eloísa», igualmente recompuesta, como si jamás hubiera sido recibida, como si no existiera. O tal vez —se me ocurrió de pronto— como si mi madre no hubiera muerto nunca.

60

Subí de nuevo a la banqueta y contemplé el valle. Poco a poco todas las secuencias fueron encontrando un orden. Ellos estaban enterados. De mi existencia, de la separación de mis padres, del fallecimiento de su querida Eloísa. Cartas recibidas y leídas que, tal vez con la última, la que llevaba mi firma y la noticia de que se acababa un ciclo, fueron guardadas celosamente en lo que había sido el dormitorio de su compañera de juegos. Y, poco a poco, la incomprensible actitud de mis tíos, la indiferencia, el desprecio, fueron convirtiéndose en todo lo contrario. Un pequeño homenaje, un extraño y especial homenaje, tan extraño y especial como ellos mismos. Las cartas de Eloísa, la noticia de su muerte... ¿dónde hallarían mejor acomodo que en el cajoncito secreto de sus antiguos tesoros? Y ellos, mientras, tenían el cuadro. Y el recuerdo de Eloísa cuando aún no había abandonado el valle. Una niña traviesa, mal sentada a propósito, con un mohín de disgusto.

Me había casi convencido ya de lo anterior cuando la imagen sudorosa de la mujer de la fonda vino de nuevo a sembrarme la duda. ¿No resultaba demasiado coincidente esa extraña manía de abrir y cerrar cartas? ¿De utilizar la misma cola casera que a nadie podía llevar a engaño? «A no ser que...» Pero ignoro en qué dirección iban a proseguir mis pensamientos. Acababa de fruncir el entrecejo, *me sabía* frunciendo el entrecejo, y ahora, de repente, me revivía así, con el mismo entrecejo fruncido, mirando hacia el torreón, no importa que fuera hacía dos días o unos pocos minutos recordándome hacía dos días. Pero si en algún momento hubo un «a no ser que...», desapareció sin dejar rastro. Porque acababa de distinguir un punto brillante en la lejanía, la bicicleta de Tomás serpenteando hacia la casa, y, sucumbiendo a un temor inesperado, me sentí en falso, con un manojo de cartas que no me pertenecían, hurgando en los secretos de aquellos tres hombres celosos de su intimidad, sin excusa alguna en caso de ser descubierta.

No tenía un segundo que perder. En el bolso, sobre la mesilla de mi cuarto, debía de encontrarse aún la postal que había adquirido en la fonda, una postal encerrada en un sobre. Bajé corriendo las escaleras del torreón. La flauta de Bebo seguía sonando. En el primer piso las raqueles no habían acabado de fregar los suelos y todas las habitaciones, menos la de Lucas, permanecían abiertas. Me hice con el sobre y bajé a la cocina. Abrí el grifo de agua caliente y, con la ayuda del vapor, despegué los sellos de la carta que ya no podía recomponer. Imitando la letra de mi madre reescribí la dirección lo mejor que pude. Luego abrí la alacena, destapé varios botes hasta dar con la harina y mezclé un puñado con agua. En medio de aquella actividad frenética no me paré a pensar que acababa de sucumbir a la costumbre local: abrir y cerrar cartas. Pegué los sellos y el sobre con el engrudo y, sin esperar a que secara, volví a reconstruir el fajo, lo até con el cordel y alcancé en una corrida el primer piso. La habitación de mi madre, por fortuna, seguía abierta. Guardé las cartas en el cajón y salí apresuradamente hacia mi cuarto. En el distribuidor a punto estuve de chocar con la Raquel joven, quien me dirigió una mirada vacía, como si nada de lo que ocurriera en la casa pudiera sorprenderla. Me encerré en mi cuarto y, jadeando aún, me tumbé en la cama. Al poco oí un sonido metálico y adiviné la bicicleta de Tomás recostándose en el poyo de la entrada. «No he sido descubierta», murmuré. Y, al tiempo que escuchaba «Bien, bien, bien», todo me pareció disparatado, ridículo.

Mi temor, las prisas, la elaboración del engrudo en la cocina, el miedo súbito a Tomás, el encontronazo con Raquel en el rellano. Pero recordé las cartas de mi madre y la mía, atadas a toda prisa con el cordel polvoriento, y me pareció como si las dos, en la oscuridad del cajón secreto, estuviéramos más unidas que nunca.

—He estado en el desván —dije por la noche.

Lucas lanzó un suspiro y repitió: «Desván». Parecía de malhumor. Había preparado la cena sin demasiado entusiasmo y, lo que era peor, había echado azúcar en lugar de sal y vinagre en vez de aceite. «Por culpa de las raqueles», explicó. «Por esa extraña manía de cambiarme las cosas de sitio.» Sí, había preparado la cena de mala gana y, con peor ánimo aún, no había tenido más remedio que echarla a la basura en cuanto probó —ceremoniosamente, imaginé— el terrible guiso con una cuchara de madera. Por eso aquella noche cenamos en la cocina. Quesos y embutidos, como en nuestra excursión a la arboleda. La bombilla que pendía del techo arrojaba una luz más tenue aún que la de las arañas del comedor. Me pregunté cómo se las arreglaba Lucas de ordinario, con o sin raqueles, para no confundirse.

—Un desván —repitió. Pero había recobrado ya el tono de cómico de la legua—. Han logrado convertir mi cabeza en un auténtico desván. Hoy ya ni sé dónde se encuentra la liebre del valle ni la fórmula de mis truchas al río seco.

Lucas escribía un libro de cocina. Lo escribía con la memoria, ayudándose ocasionalmente de unas breves notas que estudiaba en silencio, paseando en la soledad de su cuarto y que, una vez retenidas, destruía de inmediato. Nunca en el mundo se había escrito un libro como aquél, ni —y ahí radicaba su originalidad— jamás nadie podría leerlo. Obra y autor iban permanentemente unidos, formando un algo indisoluble, y a no ser que la ciencia avanzara prodigiosamente —o algo peor: las artes adivinatorias—, jamás ser humano alguno podría penetrar en ese archivo perfecto que tenía en mente y en el que las fichas aparecían ordenadas de acuerdo con diversos sistemas: alfabético, asociativo, por materias... Y otro, el más importante, que destruía y anulaba los anteriores. No creía, para ser sincero, que la ciencia lograra algún día, con una simple intervención quirúrgica, por ejemplo, hacerse con ese arsenal de conocimientos atesorado durante largos años y basado únicamente en la propia experiencia. Pero sí temía a los adivinos. A ciertos «hombres de mirada fuerte», de los que, se decía, eran capaces, en cuestión de segundos, de leer en la mente de los demás y hacerse con su caudal de conocimientos. La sola idea de que algo semejante pudiera ocurrirle a él le había impedido a menudo conciliar el sueño. O algo más grave aún: le había llevado, a veces, a sufrir terribles pesadillas en las que aparecía su libro impreso, perfectamente encuadernado, pulcramente editado... y firmado por otro. Por todo ello, para prevenir el robo, el fraude, el plagio indemostrable, estaba ideando un nuevo sistema —el mismo al que antes había calificado como «el más importante»—, una puerta falsa para despistar al enemigo. Y en eso había estado toda la tarde. Creando fichas apócrifas que invalidaran las verdaderas; caminos, atajos, pistas en fin, de una aparatosa lógica que, sin embargo, no conducían a otro lugar más que a un laberinto. El trabajo requería grandes dosis de concentración. Y de pronto las raqueles le atacaban por donde menos esperaba. *Su* orden. Porque aquellas mujeres, con sus absurdas tentativas de orden, no hacían más que entorpecer su ordenado intento de desorden, demasiado reciente aún para tenerlo asentado, firme. Y ahora era él quien temía perderse por las pistas falsas que acababa de diseñar para extraños. Caer en sus mismas redes y chocar con el espejo —porque en el laberinto había tenido la ocurrencia de colocar además algunos espejos—, y sólo después, cuando fuera ya demasiado tarde, comprender que había sido la primera víctima de su propia estrategia. Y de nada habrían servido sus precauciones. Las medidas desconcertantes que empezaban desde el mismo título del libro: *Juegos del valle*. De eso, del título, sí podía hablarme. Porque ¿qué quería decir *Juegos del valle*? Todo, nada... Un título simpático y engañoso que lo que menos podía presagiar era una serie de fórmulas secretas —la palabra «receta» nunca le había gustado—, agrupadas dentro de su peculiar orden desordenado. Pero entonces aparecían ellas, las raqueles. ¿Podía existir algo más perturbador para sus elucubraciones que encontrarse la cotidianeidad sutilmente alterada? ¿La sal donde se leía «Sal», el bicarbonato en un tarro en el que alguien había escrito «Bicarbonato», o el azúcar en el bote que aquellas arpías habían decidido adecuado para el azúcar? «El desván», masculló aún. Y se llevó la mano a la cabeza. «Mañana, antes de que sea demasiado tarde, tendré que hacer limpieza.»

Bebo le escuchaba sonriente, con una mezcla de arrobo y conmiseración, como si *Juegos del valle* no fuera su único libro, ni tampoco ésta la primera vez que Lucas se hallara en una confusión semejante. Yo me limitaba a asentir sin dejar traslucir que aquel mismo día, con el ojo pegado a una persiana, había tenido el privilegio de presenciar uno de sus denodados esfuerzos por mantener en orden su caótico archivo. Lucas, envuelto en un batín granate, superado por el trajín de las raqueles, intentando encontrar la serenidad desde algún punto de su biblioteca secreta y reconstruir su reino. Me serví una copa de vino. Enseguida Bebo tomó la palabra.

—Y el otro desván, el que no se encuentra en la cabeza de Lucas, sino en lo alto de esta casa, ¿te ha gustado?

De nuevo, como en la noche de nuestra primera cena, Bebo, con su voz pausada, acababa de centrar la conversación en el punto al que yo había querido conducirla. Volvíamos a encontrarnos en el desván, en el cuarto del torreón donde había dejado caer la tarde, y el libro de cocina de Lucas no pasaba de ser una anécdota más, una de sus múltiples extravagancias a las que ya me estaba acostumbrando, y de la que, sólo a efectos de lo que quería averiguar, iba a retener el título: *«Juegos del valle»*, dije. «Juegos.»

—Es curioso —continué—. Estaba en el desván intentando imaginarme vuestros juegos, de cuando erais niños... Y de pronto me acordé del cuadro. Del retrato del comedor. Y de lo que había dicho Lucas acerca del diábolo. Sin embargo, un diábolo es un juguete antiguo...

Estaba midiendo las palabras. En realidad hubiese querido decir: «Si mamá viviese, tendría poco más de cincuenta años. Ninguna mujer de esa edad recuerda el diábolo como un juego de infancia». Pero no podía hacerlo. Al parecer era como si mi madre no hubiera muerto, y nunca, a los ojos de los tíos, podría llegar a cumplir cincuenta años.

—En definitiva —improvisé—, se me ocurrió que, a lo mejor, mi madre se había aficionado a un juego que debía de haber pertenecido a la suya. No sé si me explico. ¿No podría ser que un día cualquiera, en el torreón, descubriera un diábolo, y su propia madre, recordando su infancia, se decidiera a enseñárselo?

Los tíos me miraban en silencio. Proseguí.

—Siempre que visito un desván tengo la misma sensación. Los desvanes son como inmensos arcones en los que el tiempo se ha detenido.

Me puse roja. Estaba diciendo tonterías, lugares comunes, pero, lo que era peor, estaba apartándome de mis objetivos. No parecía que los tíos entendieran que detrás de mi titubeante parlamento se escondía una pregunta. ¿De dónde sacó mi madre su diábolo? Una pregunta estúpida que no hacía sino encubrir otra que no podía formular: el porqué de su curiosa firma. Y muchas más que no tenía más remedio que aplazar para mejor ocasión.

—¿Se aficionó al diábolo en el desván? —pregunté al fin.

Bebo se encogió de hombros.

—No sé de dónde sacaría el primero —respondió—. Tenía muchos. Algunos se los había construido yo mismo. Es muy sencillo. Lo que no es tan fácil es jugar como ella lo hacía.

—Sí —terció Lucas, que parecía haber abandonado por fin el caos de su altillo, o el problema, por lo menos, había pasado a segundo término—. Eloísa, la reina del diábolo... O quizás al revés. El diábolo era el amo de Eloísa y ella su adoradora... No se sabía quién servía a quién. Lo único cierto es que, posiblemente, jamás haya existido en todo el mundo criatura como ella, capaz de tal destreza, de semejante arte. Los palos parecían sus verdaderas manos, y con ellos Eloísa hacía lo que le venía en gana. Tensaba y destensaba la cuerda, lanzaba el diábolo a alturas inverosímiles, lo recogía, dibujaba trenzas, círculos, espirales en el aire...

Lucas seguía hablando. Ignoro si para mí, para sus hermanos o únicamente para sí mismo. Describía las ondulaciones de la cuerda; su seguridad, su maestría, el desafío aparente a las leyes de la naturaleza. La penumbra que señoreaba la cocina ayudaba a creerla allí. En cualquiera de los ángulos. O en un ángulo de otra dimensión, que se superponía de pronto a cualquiera de aquellos ángulos, ejecutando las maravillas que pregonaba Lucas, como en una feria de pueblo, la garita de un mago, un circo en el que el maestro de ceremonias pudiera, con la sola fuerza de la palabra, convocar imágenes, personajes, decorados. O cambiar de escenario. Porque de repente fue como si todos nos encontráramos en el campo, junto al río, en la arboleda, siguiendo a pocos pasos a una Eloísa que ahora no dibujaba trazos prodigiosos en el aire, pero sí caminaba con firmeza, a la cabeza del grupo, como una capitana orgullosa de la admiración que despertaba en nosotros. Sujetaba el juguete bajo un brazo y blandía con el otro palos y cuerda como si fuera un látigo. Porque los palos, en manos de Eloísa, eran también una fusta, una honda, una ballesta. Había aprendido a arrojar su arma contra los frutos de los árboles y recogerlos en su caída. Otras veces se servía únicamente de los palos. Cuando los frutos estaban a su alcance, Eloísa dejaba distraídamente el diábolo en el suelo y agitaba la cuerda, sostenía un palo como si se tratara de la empuñadura de un látigo y el otro, el que se hallaba en el extremo, propinaba un golpe mortal al fruto elegido. En ocasiones la exhibición era todavía más espectacular. La cuerda describía una espiral cerrada, se enrollaba rápidamente en su objetivo, como un reptil al cuello de su víctima, y el fruto era cobrado con limpieza, sin daño alguno. Los que la veían por primera vez no podían dar crédito a sus ojos.

—Un día —prosiguió Lucas rompiendo a reír— ajustició a un perro.

La copa que sostenía en la mano acababa de derramarse sobre la mesa. Nadie le prestó atención, ni siquiera yo misma. Pero las carcajadas de Lucas me habían devuelto bruscamente a la realidad. Ya no estábamos en el campo, junto al río o en la arboleda, sino en una cocina destartalada y húmeda. La broma, porque aquello no podía ser otra cosa que una broma, no tenía la menor gracia.

—Eso nunca fue probado —dijo bruscamente Tomás.

Y entonces me di cuenta de que Tomás estaba irritado, auténticamente irritado, y de que ése era probablemente el estado de ánimo con el que, desde el primer momento, se había sentado a la mesa. Durante la cena, amparada en la débil luz de la bombilla y con el recuerdo aún del sobresalto del día anterior, había evitado mirarle. Pero Tomás no parecía dispuesto a celebrar, como solía, las intervenciones de su hermano, ni tampoco a escucharle arrobado como Bebo. Ni siquiera a apoyar sus ocurrencias con el consabido «bien, bien, bien...». Sus pies, en cambio, no habían dejado de repiquetear en el suelo. Se hallaba a disgusto, eso parecía claro. O eran quizá los temas de conversación los que provocaban su disgusto. El desván, la referencia al libro de cocina que Lucas se empeñaba en escribir con la memoria, la misma alusión a las raqueles o la descripción de las habilidades de mi madre. Estaba tan alterado —ahora me daba cuenta—, que aquel día, incluso, se había olvidado de servir oporto.

—Habladurías —prosiguió, pero ahora se había puesto en pie y daba vueltas en torno a la mesa—. Las chicas del valle dijeron que había sido ella. Por envidia.

—Bueno, tampoco es tan grave —dijo Lucas—. Era un perro sarnoso. Un verdadero atentado contra la salud, el gusto. La persona que terminó con él hizo un bien al valle. Y ella, además, nunca lo desmintió.

—Porque quiso darse importancia. Quiso que la admirásemos todavía más.

Me hallaba desconcertada. Tomás, de pronto, parecía el verdadero dueño de la casa. Hablaba con una seguridad y energía que no le había conocido hasta entonces, como si repentinamente se hubiera hecho con el puesto de Lucas. En un momento me pareció que le dirigía una mirada especial, significativa, apre-

74

miante. Una mirada que no tenía tanto que ver con la conversación —con los temas que provocaban su disgusto— como con mi presencia en la mesa de la cocina. Enseguida Lucas se encogió de hombros.

—Bueno, era una broma —dijo, y en aquel momento no me cupo ya la menor duda de que *no era* una broma.

No sabía adónde mirar. Se produjo un silencio tenso y Tomás volvió a tomar asiento a mi lado. Bebo no parecía haberse dado cuenta de nada.

—Sin embargo era muy capaz —dijo sonriendo—. Mira, un regalo de Eloísa.

Y, antes de que entendiera de lo que estaba hablando, se levantó, envolvió la bombilla en una servilleta y se la llevó al cuello. Sólo acerté a ver una cicatriz. El silencio, ahora, era insoportable.

—Vaya —dije intentando aparentar naturalidad—. Pero y tú... ¿qué le habrías hecho tú?

No tenía que haberlo preguntado. Los pies de Tomás, a mi izquierda, reanudaban su irritante repiqueteo y Lucas, a mi derecha, miraba ahora hacia el techo exhalando un suspiro de cansancio. Pero era demasiado tarde para volverse atrás.

—Nada —respondió Bebo sentándose—. Bueno, sí. En realidad...

A la decisión con la que me había mostrado la cicatriz siguió ahora una expresión tímida, infantil, avergonzada. Bajó los ojos y volvió a sonreír.

—Yo —dijo al fin con un hilo de voz— le había dado un beso.

Al día siguiente fui a la urbanización. Lo decidí nada más levantarme. Me encargaría de la compra, almorzaría en cualquier lugar y por la noche yo misma prepararía la cena. Tomás, ignoro si de buena gana, me prestó la bici. Estaba faenando en el jardín, pero no me molesté, como otras veces, en preguntarle por lo que estaba haciendo. De repente sentía una auténtica urgencia por abandonar la casa, respirar otros aires, poner en orden mis pensamientos. O todo lo contrario; conseguir no pensar en nada. Al llegar a la plaza de la fuente me di cuenta de que no pensar en nada requería grandes dosis de energía y que durante todo el camino, pedaleando con furia, no había hecho otra cosa que obsesionarme pensando que no debía pensar en nada. La visión de aquellas casas adocenadas, hechas de materiales baratos que difícilmente resistirían el paso del tiempo, obra de ciertos «constructores perturbados para algunos vecinos más perturbados aún», me produjo una agradable sensación de normalidad. No me paré a meditar por qué la palabra «normalidad» poseía de pronto una connotación tan placentera. Había decidido no pensar. Entré en el supermercado.

Me sorprendió encontrarme a la Raquel joven atendiendo tras el mostrador de la carne. Ella me saludó alborozada.

—¡Qué gusto verla por aquí! ¿Y su tío Tomás?

Me pareció que hablaba en voz muy alta, en un tono que no había empleado el día anterior en la casa y que, al hacerlo, miraba con el rabillo del ojo al puesto del pescado, al de los embutidos, a la cajera. Respondí que hoy me ocupaba yo de la compra, y ellas, la mujer del pescado, la de los embutidos y la cajera, me sonrieron a un tiempo. Se produjo un silencio expectante, en el que, supuse, se esperaba que yo añadiese algo más. Raquel, visiblemente contenta, se puso a cortar unos filetes con auténtica destreza.

—A ellos les gusta así —dijo—. Carne bien roja.

Pero tampoco esta vez se dirigía únicamente a mí. Tuve la sensación de que aquella mujer estaba viviendo un momento de gloria. Como si su trabajo cada quince días junto a mis tíos le hubiera llevado a una familiaridad que le enorgullecía y que ahora demostraba a gritos. Comprendí que los habitantes de la Casa de la Torre debían de ser tema recurrente en las conversaciones del valle. Raquel envolvió mi pedido con sumo cuidado, escribió una te mayúscula, lo guardó en la cámara y, olvidándose de los otros clientes, se empeñó en acompañarme hasta la caja.

—¡Recuerdos! —añadió a voz en grito, y yo sólo pude evocar el caótico desván de la mente de Lucas—, recuerdos a todos.

Compré aún unas bombillas de sesenta, otras de cien, y me detuve en la sección de vinos. Raquel, dando por finalizada su misión, había regresado a su puesto. Dudé ante una botella de oporto, de mejor calidad seguramente que el que me veía obligada a saborear a diario, pero no me pareció correcto y opté por una de jerez, con la esperanza de que, al menos por una noche, lograría cambiar ciertos hábitos. La cajera me tendió una bolsa y me indicó el lugar donde podía dejar la compra.

—¡Qué calor! —dijo—. Un buen día para pasarlo en la piscina, ¿no ha ido todavía?

La perspectiva de que la urbanización contase con una piscina, algo absolutamente previsible, no me había rondado por la cabeza. Pero ahora comprendía que aquello era justamente lo que necesitaba. Salí a la plaza y, arrastrando la bicicleta, me detuve en MODAS PARIS. Pedí que me mostraran trajes de baño. La chica que me atendía debía de tener mi misma edad.

—No eres de aquí, ¿verdad?

Al principio pensé que era mi acento lo que había despertado su atención. Pero sus ojos se habían posado en la bicicleta de Tomás.

—Estoy pasando unos días en la Casa de la Torre —dije aun sabiendo que debía de estar perfectamente enterada—. Con mis tíos.

La chica me miró sin disimulo. De arriba abajo.

—No te les pareces —concluyó.

Lo había dicho sonriendo, como si fuera un cumplido. Ahora, después de dejar un par de cajas sobre el mostrador, saludaba a una madre y a una hija que acababan de entrar. No había duda de que se trataba de madre e hija. La niña, de unos catorce años, estaba de malhumor. Quería un suéter de verano. Pero la madre no parecía muy convencida. El calor, insistía, iba a terminar en muy pocos días.

—No te empeñes en algo que luego no vayas a ponerte... ¿Y ese otro?

—Es para mí, ¿no?

—Sí, pero no me gusta tirar el dinero.

—Llévense los dos —atajó la dependienta.

—Da igual —dijo la hija—, no quiero ninguno.

Salí del probador con un bañador en la mano. La chica me lo envolvió con parsimonia.

—Debe de ser bonita la Casa de la Torre, ¿verdad?

Asentí. La madre, desde el otro extremo de la tienda, lanzaba un suspiro. «Es sólo una opinión. Anda, pruébate éste, aunque sólo sea para darme gusto.» La hija se puso un jersey sobre el vestido, de mala gana. La dependienta y yo la miramos con curiosidad. Le quedaba muy bien. «Es horrible», se lamentó la hija.

—A su tío, el de la bici, le conozco de vista —siguió la chica—. Aunque, claro, aquí no viene a comprar... Y luego está el otro. Don Lucas. Tiene una cara que impone respeto.

Sí, era posible que Lucas impusiera respeto. Pero no era eso lo único que sugería su aspecto. Adiviné que a la chica, como antes a las mujeres del supermercado, le hubiera gustado conocer mi opinión.

—Y hay un tercero a quien nunca he visto, que casi nunca sale... Está enfermo, ¿verdad?

—¿Bebo? —Negué con la cabeza, sonriendo. Pero no hubiese sabido explicar por qué sonreía—. No le gusta salir. Eso es todo.

—Claro. —Ahora miraba con fastidio hacia la plaza—. Para lo que hay que ver aquí... Y con el jardín tan grande que tienen.

Me ofreció un cigarrillo. A la chica no le gustaba el valle ni tampoco su trabajo en la tienda. Pero acudía a la urbanización todos los veranos con el único propósito de ganar un sobresueldo y pagarse sus estudios. Sin embargo, en cuanto llegasen las lluvias, se despediría. Aquel año había llegado al límite de la paciencia.

—Lo peor del aburrimiento es que se contagia —dijo a media voz.

Me hizo un descuento, el diez por ciento, y me entregó el paquete.

—Pásate cuando quieras. Por aquí —y volvió a mirar hacia la plaza— casi todos son viejos y niños.

Al salir, madre e hija se habían puesto de acuerdo. El suéter de verano. Pero la niña seguía de malhumor.

El polideportivo estaba lleno de gente. Me zambullí en la piscina y nadé como no recuerdo haberlo hecho nunca hasta entonces. Una, dos, tres, quince, veinticinco... Al completar la vuelta treinta y tres estaba exhausta. Salí del agua. Seguía haciendo calor, pero ahora un nubarrón negruzco ocultaba el sol por completo y en el césped apenas quedaban unas pocas familias. Tal vez hacía ya un buen rato que la mañana se había estropeado, o quizá cada día ocurría lo mismo y la piscina se vaciaba a la hora del almuerzo. «Eh, señorita», oí en el mismo momento en que caía en la cuenta de que no tenía nada con que secarme. Alguien, junto a un chiringuito, me mostraba una toalla extendida entre los dos brazos. Me acerqué. Era la Raquel vieja.

—Nada usted muy bien —dijo.

Un bañista, apoyado en la barra, le pidió un refresco y unas aceitunas. Yo miré la lista de bocadillos.

—Se la dejaron olvidada anteayer —dijo refiriéndose aún a la toalla—. Pero no han venido a reclamarla. Así que haga como si fuera suya. Ni siquiera la usaron. Como ve, está nueva, por estrenar. La encontré doblada, junto al trampolín.

Raquel parecía orgullosa de su intervención, contenta de la oportunidad de aquel olvido. Abrió una lata, echó el líquido por el fregadero y volcó las aceitunas en un plato. Luego, sin mirar al cliente, destapó una Coca-Cola.

—En verano me ocupo del bar. Hay que ahorrar para el invierno, ¿sabe?

Pedí un bocadillo de tortilla y la mujer desapareció tras una mampara. Oí cómo batía un huevo. Me sentía bien allí, acomodada en un extremo de la barra, jadeando aún, atenta al golpeteo de un tenedor contra un plato. Miré hacia la piscina, ahora desierta, y sólo entonces comprendí la razón por la que me encontraba tan a gusto. Por espacio de veinte minutos, media hora quizás, había logrado no pensar en nada.

La tortilla era aceitosa y estaba demasiado hecha. Pero el ejercicio me había despertado el apetito y pedí además una ensalada de atún. Raquel no me dejó pagar.

—Invitación de la casa —dijo.

Volví a la plaza. En MODAS PARIS habían bajado una persiana metálica y en el supermercado se leía «Cerrado». Golpeé el cristal con los nudillos. La cajera me sonrió como si me conociera de toda la vida, descorrió el pestillo y me hizo pasar. Luego, enseguida, con un gesto enérgico, como dándome a entender que se trataba de una deferencia, que no estaba dispuesta a hacer lo que hacía por casi nadie en el valle, volvió a cerrar, me tendió la bolsa con la botella y las bombillas y se dirigió cojeando hasta la carnicería. «¿Dónde habrán puesto los filetes?», oí. La mujer estaba ahora encaramada sobre una silla y tenía la cabeza prácticamente metida en la nevera. Sacó dos o tres paquetes, los desenvolvió, los guardó de nuevo. Junto a la caja había algunos anuncios y unos cuantos papeles enganchados en un tablero de corcho. Clases de francés, estudiantes que se ofrecían como canguros, la lista de misas de los pueblos cercanos, inscripciones para una gymkhana, el horario de autobuses... Saqué papel y lápiz. Aquella información me ahorraba acercarme hasta la fonda. Leí «lunes, martes, miércoles...». La letra era muy pequeña, y la frecuencia de salidas y llegadas distinta para cada día. El lunes, por ejemplo, estaba abarrotado de números. El viernes, en cambio, no salía ni llegaba un solo autobús. Conté con los dedos: «Lunes, martes, miércoles...», y, al escucharme, me acordé de pronto de la chica de la tienda de modas. «El aburrimiento se contagia...» Pero no sólo el aburrimiento. Todo en el valle, hasta mi propia voz, me devolvía a la Casa de la Torre.

—La carne —dijo la mujer.

Estaba junto a la caja y me tendía un paquete salpicado de granitos de hielo. Después, cuando me había montado ya en la bicicleta, alzó el brazo y añadió:

—Recuerdos.

Al resplandor de las bombillas de sesenta el comedor parecía mucho más grande pero también más vetusto y deteriorado. Las grietas que cruzaban el techo planeaban ahora sobre nuestras cabezas, y los rostros de los tíos, más pálidos que de ordinario, mostraban a las claras su contrariedad. No estaban acostumbrados a cenar con tanta luz. Tomás, después de servirme el ineludible oporto —el jerez no me sentaría bien, había dictaminado Lucas—, aflojó varias bombillas. Nadie dijo nada. Yo tampoco. La idea de preparar yo misma la cena se me aparecía ahora absurda, casi tanto como haber pretendido alterar sus hábitos, lograr una iluminación lógica para el comedor, o sustituir el oporto por la botella de jerez que había desaparecido al instante de mi vista, casi con la misma rapidez con la que me era agradecida. En un momento Lucas me felicitó por mis guisos. Pero no mostró el menor interés por averiguar los ingredientes e incluir la receta —o fórmula— en su fantástico libro de cocina. Tuve la certeza de que, sin querer, había sobrepasado los límites que mis anfitriones concedían a sus huéspedes y de que yo, por más que fuera hija de Eloísa, aquella noche, a todos los efectos, no me diferenciaba demasiado de cualquier otro huésped. En un momento desfilaron por mi cabeza diversos dichos en varios idiomas acerca de la inconveniencia de una estancia prolongada en casa ajena, y me asaltó la sensación de que los tíos, acostumbrados a una vida solitaria, estaban empezando a cansarse de mi presencia.

—Bueno —dije al fin—, en realidad hoy es nuestra última cena.

Mi intervención no les causó sorpresa alguna. Como si estuvieran al tanto de mi decisión, Bebo me sonrió con dulzura, Tomás asintió con la cabeza y Lucas, en el acostumbrado tono de ceremonia, me deseó que la estancia hubiera resultado lo más agradable posible.

—No me gustan las despedidas —proseguí—. Mañana me acostaré pronto y el sábado me despertaré a eso de las cinco. No hace falta que os levantéis. Y no os preocupéis por nada. Cerraré bien la puerta.

Tomás, a un gesto de Lucas, desapareció por la cocina y regresó con una botella de *champagne* que reconocí de inmediato. Era la misma con la que habíamos brindado la noche de mi llegada. Lucas hizo como si la descorchara, pero el tapón salió con suma facilidad y el escaso líquido, sin asomo de burbujas, fue repartido escrupulosamente entre las cuatro copas. Pero esta vez nadie dijo «Por nosotros», ni las copas se elevaron por encima de una altura razonable. Tuve la sensación de que tampoco a ellos les gustaban las despedidas. Pero también que se habían tomado mis palabras demasiado al pie de la letra.

—Los depósitos están casi listos —dijo súbitamente Tomás—. Me ha llevado todo el día.

—Mejor —aprobó Lucas—. De un momento a otro caerá un chaparrón.

—Sin embargo, hay algo que no acabo de ver claro...

Tomás se sacó un papel del bolsillo y Bebo se caló las gafas. Con harta paciencia explicó los pormenores del plano y yo no tardé en comprender que aquél no era más que uno de sus inventos, posiblemente el mismo que, con tanta modestia, había iniciado en un cuadernillo, junto al río. Hablaron aún durante un rato de canales, de litros, de pozos, de que tenían por delante todo un invierno para comprobar la eficacia de los depósitos y que ningún verano más iba a pillarles tan desprevenidos como éste. Despotricaron de la urbanización, del gasto desmesurado que significaba la piscina. Del gobierno, del embalse que había desviado el curso de su río. De la naturaleza, del desprendimiento que había terminado por enrarecer la escasa agua de la que disponían. Después, en un inesperado cambio de tercio,

Lucas se interesó por el estado de un motor.

—El motor —dijo—, ¿cuánto tiempo hace que no nos da un disgusto?

No podría afirmar que me hallara incómoda, molesta. De acuerdo. Tampoco a ellos les gustaban las despedidas. Pero, más que nuestra última cena, parecía como si hiciera ya un buen rato que me hubiera ido. Y que ellos, con su sobrina a leguas de distancia, regresaran con toda tranquilidad a lo que debía de ser su vida. El invierno, las lluvias, los perturbados de la urbanización, las nefastas obras de ingeniería y los inventos de Bebo. O, alguna que otra vez, las raqueles, la enumeración de los días de la semana o el libro de cocina que nunca llegaría a publicarse. Juegos del valle.

Había decidido reservarme el último día para mí sola. Pasearía por el río, por la arboleda. Si el aguacero que pronosticaba Lucas me sorprendía en mitad del campo, correría a la urbanización y conversaría con la chica de MODAS PARIS, la estudiante que se aburría en el valle y a quien tampoco le gustaba la lluvia. Después regresaría a la casa, evitaría la cena en el comedor y me metería en cama. Al día siguiente saldría con sigilo, cerraría la puerta con cuidado para no despertarles, escondería la llave debajo de la esterilla y entornaría el portón. En el autocar, de camino hacia el tren, o ya en el cercanías que me iba a conducir hasta el expreso, tiempo tendría para hacer un balance de mi estancia, ordenar emociones y pensamientos. Pero, nada más salir al jardín, la visión de Lucas, vestido con un impermeable de hule amarillo, me hizo comprender que mi plan quedaba sin efecto y que ellos, la noche anterior, o quién sabe cuándo, habían trazado el suyo.

—Una pequeña excursión, una sorpresa.

Estaba junto al poyo, gesticulaba como un lobo de mar en medio de una tormenta y en una de las manos sujetaba una pipa. Casi al instante oí el ruido de un motor y un bocinazo. Tomás nos esperaba tras la verja, en el interior de un Ford reluciente de carrocería alta y ruedas enormes. No me dieron tiempo a preguntar nada, ni siquiera a admirarme de que aquella antigüedad pudiera servir para algo o a interesarme, como Lucas la noche anterior, por el estado del motor. Ahora comprendía con alivio que su aparente desinterés en nuestra última cena no era más que el deseo de sorprenderme por última vez.

Nos dirigimos a la urbanización y Tomás detuvo el coche frente al supermercado. Fue Lucas quien se apeó. La cajera apareció inmediatamente con un paquete entre las manos. Tras los cristales del establecimiento varias mujeres nos contemplaban apiñadas. El coche era en sí mismo todo un espectáculo y muy pocas veces debían de haber tenido ocasión de admirarlo como ahora. También la chica de MODAS PARIS se había asomado a la puerta. Abrí la ventanilla y grité: «¡Mañana...!», pero no llegué a despedirme, a explicarle que al día siguiente iba a abandonar el valle. Lucas se había acomodado ya en su asiento, junto a su hermano, y Tomás acababa de poner el coche en marcha.

Abandonamos la urbanización, dejamos atrás la aldea y enfilamos por una carretera bien asfaltada. Tomás encendió la radio. No se oía prácticamente nada.

—¿Y Bebo? —pregunté.

Parecía absurdo, pero de pronto tuve la certeza de que nos habíamos olvidado de Bebo.

Lucas encendió la pipa. Estaba fascinado

mirando a través de los cristales, contemplando sus dominios. Seguí la dirección de sus ojos. En un cambio de rasante apareció la arboleda. Acababa de levantarse un viento racheado y, por un momento, me pareció que el columpio se agitaba con furia.

—A Bebo no le gustan las excursiones. Le sientan muy mal —dijo Tomás, y apagó la radio.

—Agorafobia —sentenció Lucas.

Ahora miraba hacia el frente. Me acordé de las palabras de la chica: «El otro está enfermo, ¿verdad?».

—Pero eso es absurdo —me había apoyado en el respaldo de su asiento y tenía que hablar muy alto para hacerme oír. El ruido del Ford era insoportable—. Durante estos días hemos estado en el jardín, en el río, en la arboleda... No me ha parecido que le asustaran los espacios abiertos.

A través del retrovisor vi cómo Lucas arqueaba una ceja.

—Los médicos, querida niña, son los auténticos ignorantes de nuestro siglo. O mejor, digamos que Bebo, tan especial en todo, también lo es en sus pequeñas manías. Para empezar: el río, la arboleda o el jardín no son exactamente «espacios abiertos», sino parte de la casa, una prolongación de la Casa de la Torre. Por lo menos en verano. En cuanto empieza el mal tiempo, Bebo se recluye en el interior. Y hace bien —me miró a través del retrovisor y concluyó—: *There's no place like home.*

Envidié a Bebo, feliz, tranquilo en la casa. Tal vez en aquel instante estaría mirando las nubes por los ventanales del comedor. O en su cuarto. Tocando la flauta, dibujando... Quizás hubiese aprovechado nuestra absurda excursión para retocar el cuadro, colorear el diábolo, perfilar la cuerda. Ahora Lucas se había puesto a cantar *Home, sweet home.*

—Me gustaría saber adónde vamos —dije tímidamente.

Lucas se volvió hacia mí y con aire de misterio se encogió de hombros.

—Una sorpresa, ya lo he dicho.

Nos detuvimos en una población de cierta importancia, pero tampoco aquél parecía el fin de nuestra expedición. Esta vez fue Tomás quien se apeó, desapareció por una esquina y regresó al poco con un sobre. No pude leer el membrete. Nada más ocupar su asiento lo guardó en la guantera. Lucas, con gran calma, desenvolvía ahora el paquete del supermercado y abría una botella de agua.

—Canapés —dijo ofreciéndome una bandeja de cartón—. ¿No sientes una ligera hambrecilla?

La esperanza de detenernos de un momento a otro en un restaurante acababa de desvanecerse. Por unos instantes había pensado que ése era el motivo de nuestra peculiar excursión: kilómetros y kilómetros para almorzar en un lugar especial, para brindarme, a su manera, una inolvidable despedida. Había empezado a llover y el limpiaparabrisas producía un ruido ensordecedor a tono con el del motor. Cerré los ojos e intenté dormir. Ahora estaba casi segura de que querían presentarme a alguien. Un familiar, un viejo o una vieja amiga. Imaginé a Bebo, a nuestro regreso, aguardándonos tras el ventanal con su hermosa sonrisa: «¿Qué tal has pasado el día?», y a mí misma contándole los pormenores de la visita. Porque, no cabía otra explicación, íbamos de visita. Una visita, me dije, importante. Por lo menos para ellos. Muy importante. Pero entonces, ¿por qué se suponía que yo debía sorprenderme?

Intenté de nuevo dormir y acallar un pensamiento molesto que desde hacía rato me martilleaba el cerebro. No debía haber su-

94

bido al Ford tan tranquilamente sin saber con exactitud adónde íbamos, cuántos kilómetros se suponía que teníamos que recorrer, cuánto tardaríamos en regresar. La noche anterior, al sentirme como una invitada imprudente, lo había dejado muy claro. Aquélla era nuestra última cena. O dicho de otra forma: todo en la vida tiene un tiempo. Y ahora eran ellos los que, con la mejor voluntad, lo prolongaban innecesariamente. Expulsé el incómodo pensamiento de un cabezazo. Quizás al día siguiente, en el autocar, o unas semanas después, en Burdeos o en París, cuando hubiese logrado poner orden en mis pensamientos, les agradecería aquella disparatada ocurrencia. Una excursión, una visita bajo la lluvia, y justo el día antes de emprender el viaje de regreso.

—Se ha dormido —oí. Y con los ojos entreabiertos vi cómo Lucas mordía un canapé y arrugaba la bandeja.

No le desmentí. Por última vez, desde mi llegada al valle, iba a intentar apurar recuerdos. ¿Me había hablado mi madre, en alguna oportunidad, de una excursión, un largo viaje que le hubiera impresionado especialmente? ¿Tenía ella una amiga, una compañera de colegio a la que en verano solía visitar? O al revés, ¿era precisamente su amiga quien, de vez en cuando, aparecía por la Casa de la Torre?... Pero mi madre no tenía amigas. Por lo menos ninguna cuyo recuerdo le hubiera acompañado al otro lado de los Pirineos. Su equipaje era muy sencillo. Ella, sus dos hermanos, su primo. Un universo que empezaba y terminaba ahí. En esa pandilla hermética, autosuficiente, en la que no había lugar para otros. Juegos y más juegos, y siempre los mismos participantes: ellos cuatro. Admirados y espiados por los demás niños de la aldea. Niños normales, con obligaciones, horarios, padres que les castigaban, les obligaban a hacer la siesta, a merendar o les reprendían por volver empapados del río. Pero en el mundo sin prohibiciones ni castigos que tantas veces evocara mi madre, los adultos habían sido eliminados, expulsados de escena, ignorados. Sin embargo, ahora me daba cuenta, alguien tenía que permitir aquella libertad salvaje. Alguien almidonaría enaguas, plancharía vestidos, remendaría codos de chaquetas o rodillas de pantalones, ocultaría a los padres el aspecto desaliñado de aquellas criaturas a la vuelta de sus correrías. O tal vez los seguiría de lejos, a la sombra de un árbol, bordando un pañuelo o un cojín de punto de cruz, levantando de vez en cuando la cabeza: «¿Estáis ahí, niños?». Y después, de regreso a casa, un baño de agua caliente del que, por turno, Eloísa, Bebo, Lucas y Tomás surgirían renovados, con aspecto de no haber roto un plato en la vida, con el cabello en orden, los bucles recogidos en un gran lazo y un fresco aroma a agua de lavanda. Y entonces se dejarían besar por sus padres, por sus tíos, cenarían en la cocina y pedirían permiso, con aire inocente, para jugar un rato más en el jardín antes de acostarse. Y ahora sí podía verla a ella, al ama comprensiva, a la silenciosa aliada a quien mi madre, ofuscada por otras añoranzas, no había sabido valorar en su justa medida. Aunque ¿cómo podía estar tan segura? Era más que posible que en alguna de aquellas cartas que no había llegado a leer preguntara por ella, se interesara por su salud, por las condiciones en las que vivía. ¿Se había quedado en el valle o había regresado a su lugar de origen? ¿Quién la cuidaba, quién la atendía? ¿Cuántos años tendría ya? Pero para ellos, tan renuentes en contestar cartas, nada de todo esto era un misterio. De cuando en cuando, cada tres meses, quizás una vez al mes, iban a visitarla. Y siempre, como hacía ya un buen rato, se detenían en la misma localidad —en un banco, en una caja de pensiones—, cobraban en efectivo —una anciana como ella no debía de saber de cheques ni papeles— y, al llegar y con toda discreción, le entregaban un sobre exactamente igual al que ahora reposaba en la guantera. ¿Cómo no se me había ocurrido antes? ¿A quién iban a presentarme sino a ella? Ahí estaba la sorpresa. Pero ¿no podía la anciana impresionarse demasiado, dejarse llevar por la emoción, darnos un disgusto? «¡La hija de Eloísa!» No. Lucas habría dado las órdenes pertinentes y Tomás le habría hecho saber —un telegrama, una llamada a una vecina— que esta vez se trataba de una visita muy especial. Por eso, desde primeras horas de la mañana, habría dispuesto bizcochos y un juego de té sobre la mesa camilla, para no perder un solo minuto cuando nos encontráramos juntos, y también desde entonces, aunque supiera que los kilómetros eran más difíciles de desafiar que el pasado, estaría esperándonos junto a la ventana, semioculta tras unas pulcras cortinas de ganchillo, una de aquellas labores a las que se entregaba en la arboleda, en el jardín, en el río, pensando ilusionada en su retiro, en el día en que tendría casa propia, sin atreverse a sospechar que, cuando eso ocurriese y su obra colgara al fin de una barra y unas anillas de latón reluciente, no vería a través de aquel tramado más que todo lo que había quedado atrás: la arboleda, el jardín, el río...

—Deja de tocar el claxon —gruñó Lucas.

Pero no quería pensar en eso. En el amadechado de virtudes y en una casa blanca con pulcras cortinas de ganchillo. Tal vez la prefería malhumorada, impertinente. Una vieja enérgica, en pie, junto a la puerta de su rústica vivienda, apoyada en un bastón que alzaba a ratos y con el que ahora señalaba las espaldas de Tomás y le conminaba a andar derecho: «Tirantes. Aún no entiendo cómo no te pusieron tirantes en su momento, cuando empezaste a encorvarte como un gusano». Y enseguida, haciéndose con el sobre que le tendía Lucas: «Ya era hora. Os pensáis que vivo del aire, por lo visto». Y sólo luego, cuando hubiese contado uno a uno los billetes contenidos en el sobre, repararía en mí: «Ah, sí, hoy es un día especial». Y, al besarme en la mejilla, notaría el pinchazo de una barba de vieja, el raspar de unos bigotes. «La hija de Eloísa.» Pero en su voz no habría el menor asomo de emoción: «Seguro que eres tan trasto como tu madre». Aunque... ¿era mejor así? ¿Prefería realmente que una segunda ama, malhumorada, impertinente, desplazara a la primera, a aquel empalagoso compendio de pulcritud y bondad? La verdad, no veía demasiada diferencia. El inesperado fin de fiesta volvía a presentárseme como una prolongación innecesaria, un remate asfixiante, inoportuno. Tal vez por eso me imaginaba de nuevo a mí misma de regreso a la casa, explicándole a Bebo cómo habíamos pasado la tarde o, ya en mi país, recordando en voz alta una visita que había tenido lugar hacía muchos años. Pero lo único cierto era que aún estaba allí, echada en los asientos traseros de una pieza de museo, deseando encontrarme en cualquier otro lugar. Paseando bajo la lluvia o charlando tranquilamente en una tienda de modas junto a una plaza desierta. «Aquí casi todos son viejos y niños...»

—Bueno, ya hemos llegado —oí de pronto.

El chirrido del limpiaparabrisas coreó con un deje de sorna las últimas palabras de la chica: «Viejos y niños, viejos y niños...». Me restregué los ojos. No estábamos en ningún pueblo, ni nadie, hombre o mujer, nos esperaba impaciente junto a la puerta de una casa.

Allí no había más que una estación, numerosas vías de tren y unos cuantos pasajeros bajo una marquesina protegiéndose de la lluvia.

—Nudo ferroviario —aclaró Lucas.

Y, con admirable agilidad, salió del coche, abrió la portezuela trasera y me ayudó a bajar.

—Un hermoso nudo ferroviario que te va a conducir a tu destino como te mereces. Con toda comodidad.

Rasgó el sobre que antes su hermano guardara en la guantera. Ahora alcancé a leer «Agencia de Viajes». Sacó en primer lugar un billete de tren.

—Coche-cama —dijo—. Y después un flamante avión que en un abrir y cerrar de ojos te depositará en París.

Asistí atónita a las explicaciones de Lucas. El itinerario podía parecer absurdo, repitió varias veces, pero no lo era. Tomás, en todos estos días, había estudiado hasta el último detalle. Qué importaba ir para atrás, es decir, en dirección opuesta a mi destino, si, poco después, por los grandes adelantos de la técnica, podía encontrarme en casa, descansada, feliz, y no hecha un desastre, harta de autocares de tercera categoría, trenes atiborrados de gente o tediosas esperas en estaciones desconocidas. No tenía por qué agradecérselo. Lo habían hecho de todo corazón, deseándome, como siempre, lo mejor. A mí, a su querida niña.

—El problema —balbuceé aún confundida— es que no pensaba ir a París.

Lucas frunció levemente una ceja. Si todos los problemas fueran como éste... Desde París yo podía tomar un nuevo avión para Burdeos, para cualquier otra ciudad, para donde quisiera, y aun así llegaría antes. No debía preocuparme por el dinero. Todo estaba previsto. Todo.

—He aquí el equipaje —dijo Tomás abriendo el maletero. Pero evitó mirarme a la cara.

Allí estaba mi bolso, el maletín, el traje de baño húmedo aún, envuelto en una toalla... Ahora Lucas sacaba otro sobre del bolsillo del impermeable. Aparentaba seguridad, pero yo lo adiviné molesto, azorado. Más que una sorpresa todo aquello tenía el aspecto de una expulsión. Tomás seguía sin mirarme. Le imaginé en el dormitorio, hurgando entre mis cosas, abriendo y cerrando armarios, envolviendo el bañador en una toalla, y el pensamiento se me hizo insufrible.

102

—Podíais haberme consultado —dije al fin y, avergonzada, me colgué el bolso al hombro. Noté con disgusto que mi voz había sonado titubeante, llorosa.

—Las sorpresas no se avisan —sentenció Lucas con sequedad.

Y acto seguido, como si en sus propias palabras hubiera encontrado los arrestos suficientes, inició un afectado discurso acerca del factor sorpresa, con minúsculas, como dato ineludible, antesala obligada, para cualquier Gran Sorpresa que se preciara de serlo. Algunos pasajeros, desde el cobertizo, empezaban a mirarnos sin disimulo. Lucas volvía a creerse en el gran escenario del mundo.

—Todo esto es ridículo —dije únicamente.

Pero enseguida me di cuenta de que debía andarme con cuidado. Me sentía herida, abochornada. Unas palabras más y rompería a llorar como una niña. No sabía cómo controlar mi rabia. Rabia de saberme capaz de ponerme a llorar de rabia. Lucas seguía con el segundo sobre en la mano.

—El dinero para tus gastos extras —precisó.

Estaba empezando a impacientarse. Yo no podía apartar los ojos del maletín, de la toalla que envolvía el bañador.

—Además —añadí como si no hubiera escuchado sus palabras—, no puedo viajar sin documentos.

Los tíos se miraron con inquietud y yo respiré aliviada. No iba a coger el tren. Había encontrado la excusa para no coger el tren.

—¿No los llevas en el bolso? —preguntó Tomás—. Seguro que están en el bolso.

Ahora era él quien no parecía tan seguro.

—He mirado el dormitorio palmo a palmo —explicó dirigiéndose a Lucas.

—¿Y los cajones? ¿No se te ha ocurrido revisar los cajones? —dije yo. Pero ya mi voz había sonado firme.

—Naturalmente. Claro que los he revisado. Allí no queda nada.

En otras circunstancias tal vez hubiera sonreído ante lo insólito de la situación. Yo, pidiendo cuentas acerca del registro inaudito de mi dormitorio. Pero la mirada de Tomás se había posado de nuevo en el bolso. Por un momento temí que fuera a arrancármelo. Aquello no tenía el menor aspecto de broma o de juego. Ahora en la marquesina se había hecho el silencio y el antiguo aplomo de Lucas había dejado paso a una expresión de abatimiento. Yo en cambio me sentía renacida.

—Te has olvidado de uno, mi querido Tomás —dije—. Lo siento.

Y mis palabras, que habían sonado medidas, moduladas, tranquilas, me dieron fuerzas
para proseguir:

—El cajón secreto.

Lucas y Tomás no daban muestras de haber comprendido.

—El cajón secreto del cuarto de mi madre
—añadí.

Y subí al coche.

El camino de regreso se realizó en el más
absoluto silencio, interrumpido sólo por las rá-
fagas de lluvia que se introducían a ratos por
las junturas de las ventanillas, o los frecuentes
bocinazos con que Tomás indicaba al mundo
que tenía prisa. Lucas, sentado a su lado, no
dejaba de consultar el reloj de bolsillo. Ni siquiera nos detuvimos en la población en la
que antes habían recogido los billetes. Me ale-
gré. Yo también deseaba llegar cuanto antes.
Ya no me sentía ofendida, ni siquiera indig-
nada, sino firme. Mañana abandonaría la Casa
de la Torre, a primera hora, por voluntad pro-

pia, pensando tal vez que lo que se ha ido no puede ya regresar, o que me había empecinado estúpidamente en revivir el viaje que le había negado a mi madre en vida. Por un momento me imaginé en el tren, en la soledad del coche-cama, llorando como una niña, sintiéndome expulsada, y decidí que había obrado con cordura. Después de todo no tenían de qué sorprenderse. Yo era la hija de Eloísa y, durante aquellos escasos cinco días, que ahora se me antojaban una eternidad, había sido aleccionada de sobra acerca del carácter de mi madre. ¿Hubiese aceptado Eloísa que la metieran en un tren en contra de su voluntad?

Al llegar a la casa, sin embargo, la firmeza me abandonó por unos instantes. Estaba lloviendo a cántaros, el jardín se había convertido en un barrizal y el repiqueteo del agua en los pozos producía un rumor ensordecedor, lleno de extraños presagios. Pensé con horror en la posibilidad de quedar aislados, de que el valle se anegara o de que el autocar faltara a su cita. Cogí el equipaje y me apeé al mismo tiempo que Lucas, quien, olvidado de mi presencia, no hizo siquiera ademán de ayudarme. Tomás puso de nuevo el motor en marcha y se dirigió al garaje. Me había quedado sola junto al poyo. En la ventana del comedor distinguí la silueta de Bebo, pero tampoco parecía dispuesto a recibirme. Había pegado la cara al cristal y me contemplaba incrédulo, con una mezcla de estupor y espanto, como quien es visitado por el propio diablo.

Subí los escalones de dos en dos, alcancé el primer piso jadeando y me detuve ante el manojo de llaves. Seguía colgado de un saliente en la pared, en el mismo lugar en que lo habían dejado las raqueles. Pero no pretendía entrar en el cuarto de mi madre ni intentaba justificar mi mentira. Me hice con el manojo y, después de varias pruebas, me quedé con una de las llaves, la única que abría y cerraba mi dormitorio. Devolví las otras a su lugar y entré en mi cuarto. El juego de sábanas había sido retirado de la cama y el colchón aparecía enrollado sobre los muelles del somier.

Puse el despertador a las cinco e intenté cerrar la puerta. Me pareció extraño, pero la llave, que tan bien se había ajustado al cerrojo en el exterior, se revelaba incapaz de cualquier utilidad desde el interior del cuarto. Probé unas cuantas veces; desistí. La dejé sobre una silla y me limité a correr el pestillo. Después extendí el colchón y lo cubrí con la colcha. Necesitaba estar sola, dormir, olvidarme de aquella jornada. Tiré toalla y bañador a una papelera, abrí el maletín, me puse el camisón y, recostada en la cama, encendí un cigarrillo. No habrían transcurrido ni cinco minutos cuando alguien llamó a la puerta.

—Abre, por favor —oí.

Era la voz de Bebo. Dudé un instante. ¿Era realmente la voz de Bebo? Me puse en pie, descorrí el pestillo y, antes de que aprendiera a ver en la oscuridad, Tomás se había precipitado en el interior del cuarto y depositaba una bandeja sobre la mesilla de noche.

—Veo que te dispones a dormir. Bien, bien... —dijo.

Yo me había quedado mirando hacia el rellano.

—¿Y Bebo? —pregunté confundida.

—Bebo y Lucas te envían sus saludos y te desean una noche feliz. Y ahora come algo. Debes de estar desfallecida.

Miré con repugnancia hacia la bandeja. No sentía el menor apetito. Tomás se había sentado en la cama. Mecánicamente, cubrí el camisón con el primer jersey que encontré en el maletín. Ahora era yo quien evitaba su mirada.

—Verás, querida niña —dijo y, por un momento, me pareció encontrarme en presencia de Lucas—, no nos gustaría que te llevases una mala impresión de nosotros. Estamos acostumbrados a vivir solos y, como es natural, a lo largo de tantos años hemos generado una serie de hábitos. Algunos ineludibles. Hoy, por ejemplo, es viernes. Y el viernes, para nosotros, es un día sagrado, el día de la semana dedicado a despachar asuntos de familia.

No dije nada. Estaba claro que yo no pertenecía a la familia.

—Antes, discutíamos sobre estos temas sin orden ni concierto. Pero aquello era un caos. Los lunes, los miércoles, los jueves. Por la mañana, al mediodía, por la noche. Hasta que, ya no recuerdo a quién, a alguien se le ocurrió la feliz idea de concentrar los asuntos de interés en una sola noche. La noche de los viernes. Es un hábito ya antiguo que ninguno de nosotros, por nada del mundo, se atrevería a romper. No sé si me comprendes —añadió—, pero en la vida, para todo en la vida, se necesita un orden, una disciplina.

Con los ojos bajos asentí. La explicación aclaraba un tanto los desagradables acontecimientos del día, o quizás era yo quien necesitaba aferrarme a cualquier excusa para que Tomás desapareciera de una vez por la puerta y me dejara a solas. Pero mi tío seguía sentado a los pies de la cama. Me había equivocado. Ya no me recordaba a Lucas, sino a sí mismo. No al hombretón con el que me encontrara en la fuente, ni al celoso ejecutor de las disposiciones de su hermano. Pero sí al insólito Tomás que hacía dos noches, en la cocina, había tomado inesperadamente el mando. También entonces, aunque no lo hubiera formulado con estas palabras, había llamado al orden, a la disciplina...

—Ah, no —dijo en un tono que pretendía ser paternal, afectuoso—, no me iré hasta que, por lo menos, te hayas acabado la copita.

El odioso oporto estaba allí, junto a la bandeja. Sólo que esta vez no se trataba de la acostumbrada copa chiquita de cristal verde, sino de un vaso grande, transparente. El líquido me pareció oscuro, demasiado oscuro. Supe enseguida que no tenía otra opción.

—Gracias —dije—. Creo que lo necesito.

Mi voz había sonado convincente, pero Tomás seguía inmóvil, en la cama. Bebí un sorbo. Era el oporto más concentrado y desagradable que había tomado en la vida.

—Estoy muy cansada —añadí—. Me gustaría dormir.

Ahora Tomás se había puesto en pie y yo aproveché para echarme y taparme con la colcha.

—Nada mejor que una copita si quieres dormir.

Asentí de nuevo y, venciendo mi repugnancia, bebí otra vez. No podía más. ¿Hasta cuándo iba a quedarse en el cuarto? Bostecé y me restregué los ojos.

—Buenas noches —dije a media voz.

Tomás salió por fin y cerró la puerta. Oí cómo, después de unos pasos, prendía la luz de la escalera y escuché un sonido metálico que conocía bien. Lo adiviné buscando entre el manojo de llaves y comprobé con alivio que la única que cerraba el dormitorio desde fuera estaba todavía allí, sobre una silla. Por un momento temí que regresara, pero no me atreví a moverme. Ahora el silencio era total. Me llevé una vez más la copa a los labios, lenta, muy lentamente, como si me hallara sobre un escenario y mi representación fuera dirigida a un único espectador. Después, bostezando, apagué la luz. Tal como sospechaba, Tomás había estado espiándome a través del ojo de la cerradura. Porque mientras, a oscuras, en silencio, escupía asqueada el último sorbo que no había llegado a tragar, de repente por la cerradura se filtró un resplandor y enseguida, con toda nitidez, volví a oír pasos y, al poco, otra vez el interruptor, la oscuridad, y de nuevo pasos... Mi tío bajaba a brincos las escaleras.

Me precipité al baño y encendí la luz. Apoyada en las garras de león devolví hasta la última gota de aquel brebaje. A ratos la vista se me nublaba y sentía un agudo escozor de estómago. Metí la cabeza bajo el chorro de agua y me miré en el espejo. Mi propio aspecto me produjo una última arcada. ¡Qué no hubiera dado en aquellos momentos por encontrarme en la tranquilidad del coche-cama que quizá precipitadamente había rechazado! Pero me hallaba demasiado confusa, demasiado cansada para poner en orden mis ideas o echarme en cara siquiera, una vez más, mi falta de rapidez, de decisión. Todo, desde que llegara al valle, se me ocurría a destiempo. Demasiado tarde. Siempre era «demasiado tarde».

Volví a la habitación. La colcha arrugada me recordó —y ahora no podía asombrarme— lo bien que descansaba por las noches, aquellos sueños reparadores de los que despertaba renacida, nueva, dispuesta a apurar las sorpresas de la jornada. Pero sobre todo el desconcierto del primer día. Mi llegada a la casa, la recepción descorazonadora junto a la puerta, el aspecto de mis tíos... Aquella primera impresión, arrinconada por mi testarudez, resurgía ahora en toda su crudeza. Yo era una molestia, un engorro, algo con lo que no contaban y a lo que habían entregado mucho más tiempo del razonable. Y todo lo que, en aquellos días, hubiera podido fabular —la sensación de reencontrar a mi familia, la ilusión de aliviarles de su rutina o el cariño que había llegado a sentir por ellos— desaparecía de golpe. Sin dejar rastro.

La lluvia golpeaba los cristales. Abrí la ventana y aspiré el aire de la noche. Un relámpago iluminó el jardín. Pero fue como si, al mismo tiempo, alguien, no muy lejos de allí, hubiese encendido un rótulo: FONDA. HABITACIONES. COLMADO.

—Fonda. Habitaciones... —repetí.

Me vestí a toda prisa, envolví el despertador en el camisón, los metí en el maletín y cerré la ventana.

Bajé los escalones muy despacio, sin atreverme apenas a respirar, a oscuras, guiándome por el camino que indicaba el pasamanos. Al llegar al primer descansillo me descalcé, guardé los zapatos en el bolso y me colgué el maletín al hombro. Ahora distinguía una leve claridad, suficiente para adentrarme por el pasillo y alcanzar la salida. Pasé de puntillas junto a la puerta del comedor. Estaba cerrada y la claridad provenía del pequeño rosetón, de un cristal traslúcido tras el que adivinaba las arañas encendidas sobre una mesa ovalada de mantel blanco. Por la cerradura, enorme como todas las de la casa, no se filtraba, sin embargo, el menor indicio de luz. Supuse que Tomás había cerrado por dentro, con una de las llaves que momentos atrás buscara entre el manojo del primer piso. Tal vez lo hacían siempre, cuando se encontraban solos, o quizás únicamente hoy, viernes, a pesar de que me creyeran dormida, como una precaución añadida a su voluntad de despachar sus asuntos sin interrupciones. Oí voces, ruidos de platos y cubiertos, unas carcajadas. Pero no presté atención. Acababa de abrir una puerta de cristales y la segunda, el pesado portón, no ofreció resistencia. Al encontrarme en el exterior respiré aliviada. Seguía lloviendo, pero el repiqueteo del agua en los depósitos se me antojó esta vez un saludo de bienvenida.

Me calcé los zapatos. La ventana del comedor, con los postigos entornados, se reflejaba en la tierra encharcada. No pude resistir la tentación y me acerqué. Necesitaba, ahora que me hallaba segura, verlos por última vez, observarlos con mirada desapasionada, fría, como podría hacerlo cualquier habitante de la urbanización, de la aldea. Los raros del valle. Iba a presenciar una cena en la Casa de la Torre. Los postigos dejaban un espacio libre por el que podía contemplar la escena. Lo primero que noté es que, liberados de mi presencia, habían vuelto a sus viejos hábitos. Bombillas de quince, una iluminación en la que parecían encontrarse a sus anchas. Pero también que no se habían sentado a la mesa en la forma acostumbrada, que nadie ocupaba la cabecera, como si por una noche no existiera jefe, no rigieran los privilegios de la edad, y los tíos, en igualdad de condiciones, se dispusieran a discutir asuntos de importancia. Por lo demás su actitud no difería demasiado de la de las otras cenas. Hablaban, sonreían, a ratos reían a carcajadas, como si entre los temas a tratar hubiera algunos especialmente jocosos, y gesticulaban, tal vez en exceso, gesticulaban con exageración. O quizás ésa era su forma habitual de conversar, y sólo en los días en que se habían visto obligados a compartir la mesa, se habían impuesto unas normas, una medida, una fórmula que, en su aislamiento, creían de cortesía o más acorde para tratar a un huésped. Intenté retener lo que decían. Pegada al cristal, medio oculta por los postigos, podía observar sin ser vista y también oír. Pero no lograba entender, averiguar de lo que estaban hablando, saber en qué consistía ese asunto importante o jocoso, esas medias bromas con las que seguramente demoraban el momento de abordar el asunto importante. O tal vez era el ritmo. Un ritmo vertiginoso, un hablar casi sin palabras entre personas que se tratan a diario, o uno de sus juegos cuyas normas sólo conocieran ellos mismos.

En un momento escuché: «Bien, bien, bien...», pero Tomás, que sonreía fascinado, no había movido los labios, no había pronunciado palabra alguna. Lucas repitió: «Bien, bien». Y Tomás, enseguida, se puso a hablar con voz de Bebo. Luego Bebo dijo algo en el tono ceremonioso de Lucas. Y yo entonces sí logré contemplar a los tíos como si no fuera más que un vecino del valle, una de las dos raqueles o la chica de la tienda de modas. Unos simples, unos hombretones infantilizados, unos locos inofensivos y ociosos que, a falta de otras obligaciones, jugaban a remedarse entre ellos. Pero yo no era un vecino cualquiera del valle. Habían estado a punto de drogarme, de envenenarme, de aumentar irresponsablemente la dosis de somnífero con el que me adormecían desde que llegara a la casa, sin medir las consecuencias, sin pensar que podría no despertar jamás, con tal de no renunciar a la reunión de los viernes. Los ineludibles asuntos de familia que, a la vista estaba, se reducían a un entretenimiento estúpido en el que cada uno, por turno, jugaba a ser el otro. Ahora uno de ellos debía de haber logrado una imitación soberbia porque los tres rompieron a reír a un tiempo.

Iba a irme ya, pero aquellas carcajadas me mantuvieron un rato más pegada al cristal. No les conocía aquella forma de reír. Parecían encontrarse a gusto, disfrutar con sus ocurrencias, pero había un extraño eco, una resonancia que no tenía nada que ver con el techo abovedado que más de una vez me había confundido. Sus risas eran rematadas por otras. Como una coda, una aceptación, un subrayado. Unas carcajadas sordas, distorsionadas... ¿Quién de los tres conseguía aquel efecto? Y entonces escuché lo que por nada en la vida hubiese deseado oír. Una voz impostada, falsa, una pretendida voz de niña que jamás podría haber pertenecido a niña alguna en el mundo. Parecía un truco de ventrílocuo, una burla, una farsa. Era la misma voz que había escuchado en el columpio, en la arboleda. La voz que, aquella misma noche, había creído producto de extrañas frustraciones, de inconfesados resentimientos.

—No me gusta la comida de lata. Es asquerosa.

Y entonces, empapada por la lluvia, tuve la convicción de haberlo entendido todo.

Estaban locos. Mis pobres tíos estaban rematadamente locos. Pero la visión de aquella demencia compartida no tuvo el efecto de inquietarme más allá de los primeros instantes de sorpresa. Ahora todo encajaba a la perfección. Las preguntas aplazadas, las explicaciones de Lucas acerca del poder del dinero, los relojes detenidos, la terrible convención llamada tiempo. Lo engañoso del título de su libro: *Juegos del valle*. Los celos de los hermanos ante el beso de Bebo. El empujón de Tomás que me hizo caer del columpio el día de nuestro almuerzo en la arboleda. ¿A quién de los tres se le había escapado el pensamiento? ¿O era que los tres recordaban a un tiempo la terrible amenaza y yo, por unos segundos, puse voz a sus pensamientos? Y los intentos de organización, de disciplina. «Antes era un caos. Los asuntos de familia se despachaban sin orden ni concierto, por eso decidimos concentrarlos en la noche del viernes...» Quién sabe cuánto tiempo hacía de todo eso. Quién sabe cuántos años llevaban consagrando una noche a la semana a su juego favorito, el Gran Juego, una fantasía que, a fuerza de insistencia, había terminado convirtiéndose en un rito, una obligación ineludible, lo más real de todo lo que constituía su vida. Porque no se les veía afectados, interpretando, fingiendo. Me parecieron más sueltos y naturales que nunca. Lucas, incluso, había perdido sus aires de actor del Gran Teatro del Mundo.

Ni siquiera, ahora lo entendía, gesticulaban en exceso. Estaban los tres pendientes de la cabecera de la mesa. Hablaban entre ellos, pero se hallaban volcados hacia un lugar vacío en el que, sin embargo, habían dispuesto platos, cubiertos, un vaso de vino aguachinado con el que sólo unos viejos locos podían pensar que complacían a una niña. Porque ellos la creían allí. Ellos la veían. Eloísa, para mis tíos, *estaba* allí. Cada viernes, a las diez de la noche, en el comedor de la Casa de la Torre.

Ahora Lucas, con voz de Lucas, se deshacía en excusas. Todos sabían que la cocina no era precisamente el fuerte de Bebo. Que el primo, tan indiscutible y genial en otras materias que ahora no venía al caso enumerar, había hecho, con la mejor fe del mundo, aquello de lo que se sentía capaz. Abrir unas latas, calentarlas y disponer luego su contenido en las mejores fuentes. Supuesta comida casera que a nadie, naturalmente, podía llevar a engaño. Pero que él, Lucas, el *grand chef,* se encargaría de remediar en la próxima sesión. Dijo «sesión», y yo entonces me detuve en Bebo. Estaba transformado. Con la mirada fija en la cabecera desierta. Parecía sentirse feliz. Inmensamente sereno y feliz. Como también Lucas, enumerando con meticulosidad las delicias culinarias con las que se regalarían en la próxima sesión. Como Tomás. Sólo que Tomás se mostraba pendiente por igual de la cabecera desierta como de la felicidad de su hermano y primo. ¿Veía él también lo que los otros creían ver? ¿O le bastaba con que Bebo y Lucas se sintieran dichosos? Sin embargo no daba la impresión de fingir. Nadie, en el comedor de la Casa de la Torre, bajo la débil luz de las arañas, parecía fingir, simular. Allí estaban los tres, como cada viernes. Pero no estaban solos. Había también una extraña fuerza. Un poder que les mantenía como hipnotizados, que parecía crecer por momentos y amenazaba con desbordar los límites del comedor, atravesar los cristales y atraparme a mí.

—¿Se ha ido ya esa pesada? —oí aún—. No quiero que recibáis más visitas. Nunca más. Nunca...

Pero esta vez ya no me importaba averiguar quién había movido los labios, quién se había atrevido a impostar la terrible voz, quién, en fin, se empecinaba en rematar la sesión de la semana con la fatal, consabida amenaza: «*Me iré. Me iré y no volveré*». Porque era yo quien no iba a regresar. Quien nunca debía haber venido.

Me había apartado de la ventana, desatenta a las voces que provenían del comedor, pendiente sólo del fanal de la verja del jardín, una luz difusa que presagiaba otras luces, las farolas de la urbanización, las bombillas de la aldea, el neón de la fonda. Avancé unos pasos con precaución, intentando no perder pie, acostumbrándome a la media oscuridad. Llevaba la correa del bolso cruzada sobre el pecho, el maletín colgado al hombro y tenía las manos libres, manos que tanteaban entre las sombras. «Pobres tíos», pensé. Lo pensé en voz alta y, al oír mis propias palabras, me parecieron una despedida, un epitafio, la frase final de un capítulo absurdo de una novela cien veces leída. Pero era también una frase lejana. Como si lo que antes me sorprendiera ya no fuera más que un recuerdo borroso, algo que hubiera sucedido hacía infinidad de años y de lo que no tardaría en reponerme, en olvidar, en colocar en su debido puesto. Un paréntesis sin repercusión alguna en la vida que ahora iba a reiniciar, en mi futuro. «Pobres», repetí, y contuve el aliento. Acababa de sentir un golpetazo en el pecho. ¿Una piedra? ¿Un fruto que el viento había arrancado de cualquier árbol? Casi enseguida un relámpago ilu-

122

minó un objeto que rodaba aún a mis pies. Lo miré con incredulidad. Era un diábolo. Pero no tuve tiempo de asimilar lo que estaba ocurriendo. Porque entonces yo *también la vi.*

Ella estaba allí. De pie, de espaldas a la verja. Vestía el traje blanco de organdí y llevaba el cabello recién peinado, en tirabuzones ordenados que le caían sobre los hombros. No sé quién avanzó hacia quién, o si alguna de las dos siquiera dio un paso. Pero enseguida nos encontramos frente a frente, en el centro mismo del jardín. Muy pronto me di cuenta de que su aspecto angelical era desmentido por una mirada fuerte, impropia de una niña, y que lo que en un principio me había parecido una expresión de enfado no era más que una sonrisa desafiante, engreída. Agitaba en la mano una de aquellas cuerdas sobre las que ejercía el más absoluto dominio. Y ahora se ponía a silbar. ¿O no había sido ella? Porque lo que sucedió a continuación fue al tiempo muy rápido y muy lento, muy claro y muy confuso. Un dolor agudo en la garganta, el silbido de un látigo agitado con destreza en el aire; un

chapoteo, un golpe; mis manos, repentinamente vigorosas, luchando por zafarse de un
terrible reptil enrollado a mi cuello; la sensación de asfixia, de que los ojos se me salían de
las órbitas, de que estaba perdiendo el cono-
cimiento... Y mi voz. Un quejido ronco. La
súplica desesperada de alguien, en el límite de
sus fuerzas, para quien la razón ha dejado
de tener sentido. «¡Mamá! ¡Por favor..., mamá!»
   Y algo ocurrió entonces que me dejó casi
tan perpleja como mi propio gemido. Porque,
como si hasta aquel momento me hubiera encontrado en una zona indefinible, fuera del
espacio y del tiempo, de pronto mis palabras
habían llenado el jardín de una extraña claridad. Sentí la garganta liberada de la presión de
la cuerda y todo, al instante, se convirtió en
real. Ella seguía allí, a sólo un par de metros
de distancia. Pero la lluvia se deslizaba ahora
por su rostro, deshacía los rizos, caía a borbotones sobre el traje vaporoso que se pegaba
a su cuerpo de niña. Y ya la sonrisa, la patente
arrogancia, habían dejado paso a una expresión
de estupor, de sobresalto. Ella era ahora únicamente una niña, con un juguete en la mano.
Una criatura asustada, sorprendida, que me
contemplaba como a una aparición, como a

alguien venido de otro mundo. Pero no apretaba a correr, ni tampoco parecía dispuesta a apartar la mirada. No sé cuánto rato permanecimos así, en silencio, ni cuánto tardó ella en dejar caer desmayadamente la cuerda. Pero entonces sonó un chapoteo, un golpe. El mismo golpe y el mismo chapoteo que me había parecido oír con anterioridad, cuando, con el lazo al cuello, las fuerzas me abandonaban y creía que iba a perder el sentido. Miré al suelo, a mis pies, y me di cuenta de que me encontraba en el borde mismo de un pozo... No fui capaz de pensar en nada. Cuando alcé la vista, ella ya no estaba.

Después lo reconstruiría paso a paso, minuto por minuto. Frente a mí la verja, el fanal encendido. A mis espaldas, el resplandor de una ventana. La corrida por el camino sin mirar atrás, la urbanización aún iluminada sin una sola alma en las calles. Un pequeño respiro junto a MODAS PARIS, junto al supermercado, junto al panel indicador de la piscina. El paso por una aldea en sombras y finalmente un neón apagado: FONDA. HABITACIONES. COL-

MADO. La anciana ciega, asomada a un ventanuco, preguntando: «¿Quién es?». Enseguida un grito: «¡Lucila!». La mujer, Lucila, abriendo un candado y alzando la persiana metálica. Un hombre bostezando junto al fogón de la cocina. La voz de Lucila entre sorprendida y fastidiada: «Pero ¿cómo no le han avisado? Hoy no hay autocar. Ha corrido usted en balde». Toallas y una manta mientras mi ropa se secaba junto al horno. Y después una habitación. Con el colchón enrollado sobre el somier y un juego de sábanas amarillentas aguardando sobre un taburete. Un sillón desvencijado en el que dormitaría el resto de la noche, abriendo y cerrando los ojos, convenciéndome de que me hallaba a salvo, a pocas horas de la llegada del autocar, que no sucumbiría al cansancio y que pronto, muy pronto, abandonaría el valle. Pero no podía dejar de cabecear, muerta de fatiga. Eran ensoñaciones breves en las que volvía al comedor de techo abovedado, a las largas veladas bajo la luz tenue de las bombillas, a mi llegada a la fonda, a días antes de mi llegada a la fonda, en que Tomás, con o sin la connivencia de Lucila, devolvía la carta en la que anunciaba mi visita a la casilla de la correspondencia no recogida.

Tal vez aprovechó la ausencia de la mujer, tal vez aquel día sólo se encontraba la vieja ciega espantando las moscas con una revista. Lo único cierto es que me enviaba un mensaje que yo me resistí a captar: «Vete por donde has venido. Nadie te espera». Como el colchón enrollado con el que fui recibida la primera tarde en la Casa de la Torre y que, por unos momentos, cuando despertaba de mis ensoñaciones, confundía con el que ahora tenía frente a mí. Porque nunca en mi vida, en tan pocos días, había visto tantos colchones enrollados. «Vete, ¿qué haces aquí? Nadie te espera.» Pero necesitaba pensar en eso. En colchones, sábanas, somieres; en la inoportunidad de mi llegada; en la infantil estratagema de la carta no recibida. En todo lo que me apartara del único pensamiento que me negaba a analizar: aquel quejido ahogado, aquel gemido implorante. Unas palabras que habían surgido de lo más profundo de mi ser, me habían acompañado durante la carrera y seguían allí, flotando en el aire. En la habitación desnuda y fría de una fonda.

No sé si, en contra de mi voluntad, llegué a dormir, o si fue el cansancio el que me procuró un estado de sopor parecido al sueño. Pero cuando sonaron unos golpes bruscos en la puerta, era ya de día y lucía un sol espléndido.

Lo primero que vi al bajar del cuarto fue al conductor del autobús entregando una saca a la ciega. No era el mismo que me había conducido hasta el valle, pero, al igual que él, llamaba a gritos a Lucila y se comportaba como si se encontrara en su casa. A través de una puerta entreabierta escuché unos ronquidos y asistí de nuevo a las oscilaciones de una tripa prominente. Me habían preparado un café con leche y el chófer se servía ahora una cerveza. Al poco la mujer apareció con mi maletín.

—Se lo han traído esta mañana, a primera hora.

Yo la interrogué con la mirada.

—Su tío Tomás. ¡Quién iba a ser! Estaba disgustado. Mira que dejarse el equipaje en el jardín... Si más parece que salga de un pozo.

El maletín chorreaba. La mujer me tendió a continuación una bolsa de viaje y, sin dejar de refunfuñar, me indicó que allí podía acomodar mis cosas. Comprendí enseguida que Tomás la había aleccionado. ¡A quién se le podía ocurrir, con aquella lluvia, demorarse más de la cuenta en la urbanización o empeñarse en que, a esas horas intempestivas, podía encontrar un coche! Todas las jóvenes éramos unas cabezas locas y mi pobre tío Tomás había pasado la noche en blanco. Por eso sintió un gran alivio al saberme allí, en la fonda, a salvo. Y, aunque estaba enfadado, era todo un caballero. No debía preocuparme por la habitación, el desayuno o la bolsa por estrenar, porque la Casa de la Torre corría con los gastos. Y aquí habían dejado una carta. A mi nombre. Mi pobre tío no había querido despertarme. Y ahora no tenía más que subir al autocar y cuidar de no perder el equipaje en el primer trasbordo. «Ande. Suba de una vez», dijo.

La ciega preguntó: «¿Con quién hablas?». La mujer no se molestó en contestar. La anciana insistió: «¿Quién era?». Yo acababa de rasgar el sobre: *«Nuestra querida niña...»,* pero no quise continuar hasta encontrarme lejos del valle. Subí al autocar y corrí las cortinas de la ventanilla.

—He dicho que quién era —alcancé a oír aún.

—¡Qué más da! —gruñó Lucila—. Ni siquiera sé cómo se llama.

Habría transcurrido ya una buena media hora cuando me atreví a descorrer las cortinas y observar a través de la ventanilla. No reconocía el paisaje, los bosques de abetos y hayas, el sol que ahora aparecía o se ocultaba por entre las copas más altas, pero sí podía recordarme a mí misma, hacía menos de una semana, emprendiendo aquel viaje que ahora deshacía, ajena a lo que podía discurrir al otro lado del cristal, pendiente sólo de unas fotografías macilentas y cuarteadas, y el eco de una voz a la que, creía entonces, tal vez prestaba atención demasiado tarde. Pero, desde hacía rato, otras eran las voces, otros los ecos. Había leído ya varias veces la carta que sostenía aún entre las manos, y el paisaje, salvo los primeros instantes, tampoco esta vez iba a fijar mi atención. Como si me hallara aún en el comedor de techo abovedado les escuchaba a ellos, a los tres a la vez: «Nuestra querida niña...». Era fácil reconocerles. El tono de Lucas, la sonrisa aquiescente de Bebo, los buenos oficios de Tomás...

«Nuestra querida niña:

»¿Por qué te fuiste así, de repente, en plena no-
che y bajo la lluvia? Es posible que ni siquiera
ahora te des cuenta de que podías haber sufrido un
accidente mientras nosotros, ajenos a lo que estaba
ocurriendo, nos encontrábamos despachando asun-
tos de familia. Nos has dado un buen susto, pero,
a pesar de todo, queremos hacerte partícipe de la
conclusión a la que llegamos en la reunión de ayer,
viernes.

»Eloísa, en su momento, recibió la parte que le
correspondía de nuestro patrimonio. Pero en aquel
entonces no podíamos ni sospechar el valor de las
tierras más baldías, convertidas hoy en urbaniza-
ción y gracias a las cuales, como habrás podido
comprobar, nos permitimos vivir con cierto desa-
hogo. No estamos obligados, pero nos gusta hacerlo.
Acepta este cheque. Su valor es simbólico.

»Ha sido un placer tenerte con nosotros.

»Te deseamos un buen viaje.

»Tus tíos.»

Me pregunté cuánto tiempo les habría llevado la redacción de la carta, cuándo notaron
mi ausencia, si oyeron mi grito o si el chirrido
de la verja les puso al tanto de mi huida. Aquellas líneas cumplían una astuta función. La de

eximirles a ellos de su locura e ingresarme a mí en una categoría difusa en la que la sugestión, el miedo o la imprudencia a punto habían estado de jugarme una mala pasada. Una caprichosa y temeraria sobrina que bien pudiera hallarse ahora en el fondo de un pozo. Junto a un maletín... Pero no quise pensar en eso. Todavía era pronto para pensar en eso. «Juegos del valle», murmuré. Y fue como si Lucas en aquel momento, en la soledad de su cuarto o en medio de un apacible paseo por sus dominios, diera un respingo, aterrado ante la posibilidad de que un adivino estuviera robándole su obra, intentando recordar pasadizos y trampas, conduciendo al desaprensivo a un callejón sin salida, a una puerta simulada, a un calabozo. O tal vez era él quien, en sus precipitados mecanismos de defensa, había accionado un resorte equivocado y se encontraba ahora prisionero en una mazmorra, aferrado a unos barrotes, impotente ante la evidencia de que cuanto más tiempo permaneciera allí, víctima de sus propias precauciones, mayor era el peligro que corrían sus fórmulas secretas. Liebre del valle. Trucha al río seco... Y enseguida pensé en Bebo. Bebo en invierno. Reduciendo su campo de acción a la Casa de la Torre, mirando la vida a través de los ventanales, como un decorado, pendiente sólo de la cita de los viernes, la sagrada noche de los viernes... Y en Tomás: ¿cómo podía haberle tomado por un simple? Tomás el intendente, el celador, el auténtico artífice de aquel mundo imposible en que se había detenido el reloj. Rompí la carta. Y mientras los pedazos de papel desaparecían revoloteando por la ventanilla fue como si me desprendiera de otras muchas cartas, de recuerdos ajenos, de un desván con olor a cerrado, de arquillas y baúles, disfraces apolillados y bombillas de quince. Después miré fríamente el cheque. Podría ser simbólico, pero también tentador. Con mayor frialdad repetí la sentencia de Lucas: «El dinero te permite diseñar el mundo a tu antojo». Lo destrocé lentamente, sintiendo un placer desconocido, lanzando al campo los papeles minúsculos que una brisa terca se empeñaba en devolver al interior del coche. Y entonces sí me sentí libre. Libre para afrontar lo que había estado postergando desde la noche anterior. Libre para entregarme al único recuerdo que me interesaba conservar, traer a la memoria, repetir hasta sentirme desfallecida, apurar antes de que el autocar me dejara en el tren de cercanías, antes de que cruzara la frontera, cambiara de idioma y me dirigiera a Burdeos, a París, a cualquier otro destino. Corrí de nuevo las cortinas, olvidada ya de los papelitos sin valor que revoloteaban aún en la ventanilla, recostada en el asiento, con los ojos cerrados. «Un día, fíjate qué tontería, soñé contigo.»

Porque de todo lo que empezaba a ver ya entre brumas, lo que me parecía imposible haber vivido, sólo quedaba algo real, tremendamente real. Unas cuantas ronchas en el cuello que ahora, sin abrir los ojos, cubría con un pañuelo. «No te han olvidado», dije en un tono muy quedo. «Para ellos siempre serás la única. La Reina del Diábolo. Es como si vivieras allí. En realidad, *sigues viviendo* allí.»

No necesitaba ya volver sobre las fotos macilentas, pasarlas una a una, contemplar cómo los tíos construían canales en el jardín o ella, en pie sobre un columpio de madera, jugaba a irritarles, a confundirles. Ahora era yo quien tenía la certeza de haber estado durante aquellos días balanceándome en un columpio, suspendida en el aire, ingrávida sobre un inmenso abismo. Hacia atrás, hacia delante... De nuevo hacia atrás. Sujeta al mismo vaivén que a ella, de niña, le impulsaba milagrosamente hacia delante. «Hasta eso era verdad», dije. Y también ahora comprendía la razón por la que, al despertarse empapada en el jardín, en aquel día al que nunca había concedido crédito, tuvo que guardar cama, con escalofríos, con la fiebre alta. Por qué nunca pudo contarme con exactitud aquellas imágenes que tanto le habían impresionado y de las que a nadie, únicamente a mí, se había atrevido a hablar. Por qué el olvido disfrazó con los años algo que su mente de adulta se negaba a aceptar, pero que, sin embargo, necesitaba repetir compulsivamente, escudándose en la eterna muletilla: «¡Qué tontería!». Pero de pronto era yo, tan reticente a escucharla, quien podía contarle paso a paso aquella terrible pesadilla que sólo el tiempo, ayudado por la desmemoria, transformaría en un hermoso, impreciso recuerdo. Sí, ella me había reconocido en sueños. Y a través de sus ojos sorprendidos asomaba el horror ante mi grito, ante el castigo que había estado a punto de infligirme, ante lo que podía ocurrirme aún. Y, exhausta, dejaba caer la cuerda, en el mismo pozo en el que antes —o quizá después, o tal vez en aquel preciso instante— fuera a parar mi maletín. Intencionadamente. Previniéndome, avisándome, indicándome el peligro. Ella me había visto a mí y yo la había visto a ella. Aterrada. Casi tanto como lo debía de estar yo misma. Y ahora, cuando volvía a ajustarme el pañuelo en torno a un cuello amoratado, me juraba en silencio que jamás regresaría al valle. Pero no había rencor, resentimiento en mi decisión, tan sólo la creciente seguridad de que había acudido en el momento oportuno. Al final de un verano. Con las primeras lluvias de septiembre. Un largo viaje a un jardín que me esperaba desde hacía años y años... Y, les gustara o no a mis tres tíos, de poco había servido la gruesa llave con la que todos los viernes se encerraban a solas con sus fantasías. Yo había visto a mi madre. Y ella, desde su sueño, me había salvado la vida.

—¡Lucila! —oí de pronto.

El coche se había detenido de un frenazo brusco. Abrí los ojos con incredulidad. Entre las cortinillas a medio cerrar distinguí una efe, una o, una ene... Sentí un agudo escozor a la altura del estómago y las descorrí con furia. Alguien voceó entonces: «¡Final de trayecto!». Fue sólo un momento de estupor. A la palabra FONDA seguía un apellido desconocido, el anuncio de un menú especial y un rótulo: «*On parle français*».

—¡Lucila! —oí aún—. ¡Bájate enseguida de la ventana!

Y después un lloriqueo. Y también: «Deja de dar patadas y ponte la chaqueta. ¿No ves que vamos a llegar tarde?».

El tren esperaba ya formado en la vía. Me colgué la bolsa al hombro, aguardé a que los pasajeros abandonaran el autocar y bajé la última. De todas las cosas que había aprendido en el valle había una, muy pequeña, muy simple, que ahora me hacía sonreír. Nunca, estuviera donde estuviera, ocurriese lo que ocurriese, volvería a decir: «Demasiado tarde».

Ultimos títulos

220. Nombre de torero
     Luis Sepúlveda

221. Niños del domingo
     Ingmar Bergman

222. Venganzas
     Manuel Talens

223. Derrotas y esperanzas
     Manuel Azcárate
     VII Premio Comillas

224. Las catorce hermanas
     de Emilio Montez O'Brien
     Oscar Hijuelos

225. Yo soy mi propia mujer
     Charlotte von Mahlsdorf

226. Querido Corto Maltés
     Susana Fortes
     I Premio Nuevos Narrdores

227. La subasta del lote 49
     Thomas Pynchon

228. El primer hombre
     Albert Camus

229. Carta a mi juez
     Georges Simenon

230. La sonrisa del cordero
     David Grossman

231. La lentitud
     Milan Kundera

232. Alberti en Ibiza
     Antonio Colinas

233. Soplando al viento
     Mercedes Abad

234. Un disgusto pasajero
     Françoise Sagan

235. El corazón inmóvil
     Luciano G. Egido

236. El columpio
     Cristina Fernández Cubas

237. La escritura o la vida
     Jorge Semprún

238. Un hijo del circo
     John Irving